EDAF

MADRID - MÉXICO - BUENOS AIRES - SAN JUAN - SANTIAGO

ERIC TAYLOR

El niño hiperactivo

**Una guía esencial para los padres
para comprender y ayudar al niño hiperactivo**

TU HIJO Y TÚ

Título del original:
UNDERSTANDING YOUR HYPERACTIVE CHILD

© De la traducción:JULIA FERNÁNDEZ TREVIÑO
© 1985, 1994, 1997. Eric Taylor.
© 1998. De esta edición, EDITORIAL EDAF, S.A., por acuerdo con Vermilion, London SWIV
 2 SA (U.K.)
 Editorial EDAF, S.A.
 Jorge Juan, 30. 28001 Madrid
 http://www.edaf.net

ISBN : 0-7394-5615-6

PRINTED IN U.S.A.   IMPRESO EN U.S.A.

Agradecimientos

M E SIENTO MUY AGRADECIDO a Catherine Buckley por colaborar en la organización y presentación de este libro. Y en general, me complace agradecer la contribución de mis pacientes y sus familias, y también la mis colegas, de los que he aprendido todo lo que se recoge en estas páginas.

Eric Taylor 1985

Nuestro agradecimiento a David Gifford por dibujar los diagramas, y a Jennifer Eaton por recopilar las tablas de fármacos.

Índice

===

Prólogo

Stan Mould

Fundador y presidente de LADDER (Asociación de trastornos relacionados con la falta de atención, el aprendizaje y la hiperactividad)

E N ENERO DE 1992 mi vida se había complicado —tenía 43 años, mi matrimonio se había roto dos años atrás, una nueva relación había fracasado hacía nueve meses, afrontaba serios problemas de trabajo, bebía más de la cuenta y tenía pocos amigos. Por si esto fuera poco, los informes escolares de mi hijo de 14 años se habían deteriorado de tal manera que los profesores y yo estábamos seriamente preocupados. Curiosamente, las cosas que decían sobre él eran el eco de lo que se decía de mí: «si sólo lograra concentrarse», «si pudiera permanecer sentado y quieto», «distrae a todos los demás», «parece no escuchar nunca nada de lo que se le dice». En verdad, esas palabras *parecían* referirse a mí.

Con la intención de ordenar todo lo que estaba sucediendo, ese mes decidí pasar una semana en España. Entre los libros que escogí para llevar conmigo había uno sobre las alergias alimenticias, ya que padecía alguna de ellas y presentía que podían estar relacionadas con mi comportamiento y mis dificultades. Cierta noche, el libro se cayó al suelo y se abrió casualmente en una página en la que se mencionaba el «síndrome hipercinético» o «Trastorno de la falta de atención» (ADD) (abreviaturas en inglés).

Ociosamente, eché una mirada a la lista de síntomas, pero al momento me erguí en mi asiento y volví a leerlos con una enorme tensión en el pecho y con la boca abierta. Era una descripción de lo que me sucedía a mí, de lo que le pasaba a mi hijo y a la mayoría de los hombres de mi familia. Nunca me había considerado un hiperactivo, aunque la gente solía hacer comentarios sobre mi incesante actividad, mi «mente veleidosa», mi falta de capacidad para concentrarme durante periodos prolongados y mi constante movimiento. Lo que sí había advertido era esa etiqueta de «Falta de atención» con la que me identificaba. Toda mi vida me habían dicho que debía prestar atención y que no era capaz de terminar nada de lo que emprendía. Y yo le criticaba a mi hijo las mismas actitudes.

Para estar completamente seguro de mis sospechas, decidí recabar más información y en cierta ocasión cayó en mis manos un libro escrito por un neurólogo australiano, *The Hidden Handicap,* del doctor Gordon Serfontein. Allí encontré la primera definición que leí del ADD y fue una segunda revelación. No me cabía la menor duda de que éste era el problema que me había acosado durante toda mi vida y también el motivo de las dificultades de mi hijo. Como un típico ADD impulsivo, llamé al doctor Serfontein a Sidney. Conversamos durante cerca de media hora, y fue una de las cosas más importantes que hice en mi vida. La única persona que el doctor Serfontein sabía que trabajaba en este campo en el Reino Unido era el profesor Eric Taylor, el autor de este libro. Estuve despierto toda la noche, por momentos me sentía exultante por haber conseguido la ayuda que necesitaba, y en otros rompía a llorar, pues todo el dolor, los miedos y los maltratos de 43 años comenzaron a salir a la superficie.

Al leer el libro, comprendí pronto que mi idea —y la idea general— sobre la «hiperactividad» era totalmente errónea. Un niño hiperactivo es mucho más que un niño travieso que no deja de correr o que se tumba chillando en el suelo del supermercado, o que aquellos que han sido considerados vagos y desmotivados en el colegio. La imagen popular es que se trata de esa clase de niños, cuyos padres no han logrado educar correctamente y que carecen de la menor noción de cómo disciplinarlos y, lo que es peor a los ojos de muchas personas, no saben cómo alimentarlos. Pero lo más importante es que a través del libro me enteré de que el trastorno podía afectar a los adultos.

También descubrí que la dieta que estaba siguiendo para combatir las alergias, y con la que no había obtenido ningún éxito, estaba obsoleta y además sólo era adecuada para una minoría de los afectados por el síndrome. Había estado utilizando el aceite de prímula, así como vitaminas, cinc y otros suplementos minerales que me reportaron pocos o ningún beneficio. Ahora sé que el cuerpo puede absorber únicamente tal cantidad suplementaria de dichas sustancias antes de excretar el sobrante; ¡eliminé una orina verdaderamente cara!

Ese ha sido el inicio de un largo camino que todos los padres de niños ADD/hiperactivos deberían realizar. Como mi médico no estaba informado sobre el tema, comencé a buscar ayuda para Chris y para mí, y descubrí que nadie parecía saber mucho sobre el tema. Encontré un libro canadiense, y llamé a su autor, quien me envió información sobre cómo funcionaban las cosas en Estados Unidos y los nombres de los profesionales que trabajaban allí. Me puse en contacto con el profesor Russell Barkley en Estados Unidos que me envió gran cantidad de información, así como las señas de un grupo de apoyo norteamericano, CH.A.D.D. (Niños y Adultos afectados por el ADD).

En julio estaba atravesando graves dificultades en el trabajo debido a mis síntomas de ADD y mi hijo también lo estaba pasando mal en el colegio. Habíamos consultado con el Psicopedagogo local que desconocía el síndrome y, a pesar de la evaluación psicopedagógica privada que le presentamos y cuyo diagnóstico era de ADHD (trastorno hiperactivo de falta de atención), se negó a aceptar que Chris tenía un problema, todo el proceso resultó en vano. Parecía imposible conseguir que nos ayudaran, a pesar de que en el equipo había algunas personas que se mostraron bastante amables.

Fue entonces cuando nos enteramos que la medicación, junto con otro tipo de ayuda, suele ser muy efectiva para los niños. Después de ocho meses, finalmente conseguimos una cita con el médico local, quien opinó que el caso de Chris no era tan grave como para justificar la medicación, a pesar de sus serios problemas en el colegio y de su falta de autoestima que en ese momento resultaba preocupante. Unas semanas más tarde conseguimos localizar un médico en Harley Street, quien sugirió realizar una breve prueba que *podría* resultar beneficiosa.

Los resultados fueron bastante sorprendentes; en la primera *semana* Chris pasó a un curso superior de inglés y obtuvo su primer grado «A», fue elogiado en la clase de Matemáticas; compró carpetas para organizar su trabajo, y su caligrafía se modificó de tal forma que le regañé pensando que había dejado que otra persona hiciera sus tareas escolares.

De todos modos, nadie fue capaz de ayudarme a mí. Aún luchaba por convencer a mi médico; había perdido mi trabajo por motivos que parecían un listado de los síntomas de ADD, y decidí acudir a la clínica del profesor Barkley en Estados Unidos. Chris me acompañó, y su diagnóstico fue confirmado. En cuanto a mí, realmente sufría de ADHD.

¡Qué alivio! Fue una experiencia increíblemente liberadora saber que *no* era intencionadamente perezoso ni inconstante, que mi falta de motivación se debía a un trastorno neurológico que es relativamente común, aunque en gran medida desconocido. Asistimos a una conferencia convocada por CH.A.D.D., donde fui testigo de la vasta red de ayuda que existe en Norteamérica para quienes padecen este síndrome.

Al regresar a casa, Chris continuó mejorando en el colegio, pero yo aún necesitaba ayuda. En Estados Unidos me habían recetado Ritalin, pero se me estaba terminando y mi médico no se mostraría inclinado a prescribírmelo, aunque sí se lo prescribía a mi hijo. Comencé a consumir la segunda línea de medicamentos, antidepresivos, que paliaban un poco la situación. Me llevó dieciocho meses y la amable

ayuda de un eminente psiquiatra que mi
que yo padecía un trastorno de falta de aten

¿Qué significa todo esto? Significa que
existen recursos disponibles para ayudar a
muchas veces hay que llegar a casos extrem
dad, la obstinación, la desfachatez y una buen   ...e dinero me permitieron soportar diez meses de búsqueda in-
cansable. No podía dejar de pensar que era inminente que
perdiera 28.000 libras al año (cerca de siete millones de pe-
setas) y que Chris atravesaba por un periodo de enorme
confusión mental. Algún tiempo atrás le había contado mi
descubrimiento, le había comunicado que la medicación
podía ser de gran ayuda y le pregunté si quería tomarla.
Nunca olvidaré su conmovedora respuesta: «Papá, haré
cualquier cosa para evitar que los profesores sigan queján-
dose todo el tiempo de mí.»

Decidí que la falta de información y de ayuda en este
país no podían ser ignoradas por más tiempo, y poco tiempo después de volver de Estados Unidos conseguí que LAD-
DER publicara artículos sobre este síndrome, y comencé a
ofrecer información actualizada a los padres. Muchos profesionales aún carecen de conocimientos sobre el ADD e ignoran que puede afectar no solamente a los niños, sino a todos los miembros de una familia e incluso a personas que
están en contacto con quien padece este trastorno. Estaba
decidido a rectificar la situación y a informar sobre la importancia de la medicación. Como ya había probado dietas
para resolver el problema, conocía el peligro que entraña in-
vertir un montón de tiempo y esfuerzo en algo que difícil-
mente da buenos resultados; estaba decidido a poner a dis-
posición de los padres un medio más efectivo.

¿Qué quiere decir realmente ser un hiperactivo o padecer el síndrome de la falta de atención? ¡La mayoría de los
padres de un niño que tenga este problema pueden decirlo!
¿Y qué significa para el niño? ¿Puede un niño que ha sido
criticado durante casi toda su vida explicar lo que se siente
al ser evitado por las personas que conoce y sufrir las críti-

onstantes de sus padres, profesores, compañeros y
más personas?

Los padres que se esmeran en criar a sus hijos pueden
pasar por momentos difíciles incluso cuando las circunstancias son razonables. De todos modos, los problemas pueden
comenzar de verdad si el niño es extremadamente activo e
impulsivo y se distrae con facilidad; los niños que presentan
estos síntomas corren un alto riesgo de tener un comportamiento negativo. Es posible que los padres deban enfrentarse con una amplia gama de dificultades a la hora de buscar
ayuda para el niño. Y también debemos contar con la falta
de información de los padres en relación con el síndrome.
Los pocos libros que existen sobre el tema se basan mayori-
tariamente en las dietas, y actualmente este enfoque está
muy desacreditado en Norteamérica. Las cosas se complican aún más por la descripción misma de la enfermedad. La
«hiperactividad» sólo describe una parte del trastorno. En
Estados Unidos se lo conoce como trastorno de la falta de
atención (ADD) o ADHD, que incluye la hiperactividad.

Los problemas de la atención son generalmente conocidos por padres y maestros, pero en Gran Bretaña los padres
parecen ignorar la relación entre la hiperactividad y la atención. La imagen popular es la de un niño travieso, ruidoso,
desobediente, y unos padres incapaces de controlarlo o ali-
mentarlo correctamente. Es lamentable que un gran número de profesionales piensen algo parecido y culpen a los padres o al niño por los problemas de conducta que éste mani-
fiesta. Nada podría estar más alejado de la verdad.
Cualquier padre que tenga un hijo aquejado por este síndrome sabe perfectamente cuán difícil es abordar el problema.

Hasta hace muy poco tiempo, la información sobre ADD y
ADHD sólo estaba en manos de unas pocas personas compro-
metidas profesionalmente con el problema. Una vez que la
información ha empezado a circular entre los padres, ha
aumentado el número de personas que tienen conocimiento
de este síndrome, y quienes se preocupan por el bienestar de
sus hijos comienzan a formular preguntas fundamentales.

Una de ellas es dónde y cómo pueden ayudar a su hijo. Los padres advierten que lejos de afectar a una minoría, el ADD puede tener efectos pedagógicos y sociales de gran alcance. Debido a la falta de información y a los conocimientos de los profesionales y del público en general, es difícil encontrar ayuda para los niños hiperactivos/ADD; es importante tener en cuenta que será necesario recorrer un largo camino que se debe afrontar con tenacidad. El profesor Taylor nos ofrece consejos a lo largo de todo el libro, pero por haber recorrido personalmente este camino, puedo decir lo siguiente:

1. El primer paso es la información: es preciso leer todo lo que esté relacionado con este tema. Este libro es un excelente primer paso, pero existen otros que se pueden leer en cuanto la naturaleza real de este problema se comprenda mejor. Conversad con otros padres y comparad vuestras observaciones. Se siente un gran alivio al comprobar que existen otras personas con problemas similares y que alguien puede comprender nuestras dificultades. Antes de solicitar ayuda, haced vuestro trabajo en casa. Aseguraros de conocer bien el tema, ya que deberéis hablar con profesionales que pueden no reconocer el problema y asumir una actitud defensiva.

2. Acercaos al colegio para solicitar ayuda extra para vuestro hijo, especialmente si se ha quedado rezagado o tiene la mala fortuna de padecer otros problemas, tal como dificultades en la lectura o en la escritura. Solicitad que el psicólogo escolar realice una evaluación. ¡Mostradles este libro! Leed todo lo que podáis y discutidlo con los profesores. Todas las escuelas deberían tener un profesor que se responsabilice de los niños con necesidades especiales; recordad que muchos de ellos pueden desconocer el síndrome, así que mostraos persuasivos y no hostiles. Conseguid el folleto del Ministerio de Edu-

cación «Niños con necesidades especiales», en cuya
Carta de los Padres se explican vuestros derechos.

3.   Consultad con vuestro médico. Preguntadle cuáles
son las prestaciones locales; la mayoría de los hospitales tienen un Centro del Desarrollo del Niño, o algo similar. Solicitad que os remitan a ese centro.
Conseguid una copia de la Carta de los Padres del
Departamento de Salud. Es posible que deseéis probar con la medicación, pero debéis saber que en este
país existe una actitud diferente en relación con los
medicamentos, de modo que podréis encontrar cierta resistencia en aquellos médicos que nunca los
han empleado. La mayoría sólo receta medicamentos en casos extremos. Esto resulta comprensible,
pero si os ofrecen la medicación, debéis solicitar en
primer lugar una prueba. Todos los niños merecen
la oportunidad de triunfar al menos una vez.

4.   Es posible que existan varios tratamientos psicológicos como la terapia familiar, la terapia conductista,
la terapia para desarrollar comportamientos sociales o cognitivos (pensamiento), y aquellos niños que
tengan problemas de control motriz se podrán bene-
ficiar de la terapia ocupacional. No debéis pensar
que el hecho de necesitar estos servicios significa un
fracaso; pensad que sois el mecánico más importante de un taller que necesita una formación especial
porque sólo se ocupa de coches especiales. Converti-
ros en un gran consumidor para descubrir todos los
servicios que están disponibles en vuestro vecinda-
rio y utilizadlos. Debéis saber que un servicio individual no «curará» el problema, pero sí puede aliviar
el síntoma.

5.   Estoy convencido de que la educación que ofrecen los
padres a sus hijos es uno de los factores más importantes. Es responsabilidad de los padres criar adecuadamente a sus hijos, y si un niño es hiperactivo/ADD,
la tarea resultará mucho más difícil. Buscad toda la

información posible sobre cómo educar a los hijos:
ser un buen padre no es algo concedido por Dios, y
algunos de nosotros somos peores padres que otros.
Como el ADD es hereditario, es bastante probable que
en la familia exista también uno de los padres con el
mismo problema. Esto complica aún más la vida, ya
que cualquiera de los padres que presente el síndrome a menudo es irritable, impaciente y autocrático.
De cualquier forma, criar a los hijos es una tarea
común a ambos padres, y conocer las propias dificultades puede ser de gran ayuda. Debéis ser conscientes
de que existen puntos de vista opuestos sobre este
trastorno, y os aconsejo que no hagáis caso de todo el
parloteo psicológico que circula por allí. Recordad
que este problema no está causado por la dieta, por
padres ineptos, por rayos terrestres ni por la pobre
calidad del agua. Se trata de un trastorno neurológico
que tiene muchos efectos diferentes sobre la vida de
las personas y que están interrelacionados.

6. Finalmente, a la hora de buscar ayuda es posible
sentirse solo y desanimado; a menudo nos enfrenta-
mos con la hostilidad y el escepticismo. Uno de los
pasos más importantes es unirse a alguna asociación de apoyo. LADDER se formó simplemente porque no existía ningún sitio al que acudir. ¡Yo solía
poner conferencias a Estados Unidos y a Australia
cuando necesitaba ayuda y consejos! Confío en que
LADDER se convertirá en una organización de enorme utilidad para los padres que buscan ayuda para
sus hijos. El trastorno es complejo y está envuelto
en muchos mitos. Muchos ya han sido desechados,
aunque es preciso advertir a los padres sobre los
puntos de vista «marginales», a menudo ofrecidos a
nivel privado y a un precio excesivo. Somos conscientes de esto y podemos aconsejar a los padres sobre cuáles son los enfoques más efectivos y advertir-
les qué métodos no son considerados efectivos.

Sigo sosteniendo inflexiblemente que LADDER es una Asociación médico/científica, y que sólo prestamos ayuda a quienes tienen antecedentes conocidos y probados. Resulta lamentable que los recursos disponibles para los afectados por la hiperactividad/ADHD sean pocos y estén dispersos. Si lo comparamos con los EE.UU. o con Australia, el Reino Unido tiene muy pocos recursos en esta área; no es posible conseguir el tratamiento «múltiple» (médico, psicológico y pedagógico), que es el más efectivo, excepto en unos pocos centros especializados. Desde el punto de vista pedagógico, muchos padres consideran el proceso de elaboración de informes como un obstáculo a la hora de buscar ayuda para sus niños. Parecería existir cierta renuencia a reconocer los problemas pedagógicos que pueden atravesar los que padecen este trastorno.

LADDER existe para brindar información, educación, apoyo y consejo a los miembros de las familias que atraviesan momentos difíciles. Conocemos cuáles son los escasos centros especializados que ofrecen asistencia a los afectados, podemos proporcionar listas de libros, copias de artículos y de literatura y conectar a las familias que viven en la misma zona. Nos proponemos dar conferencias para padres y profesionales. Deseamos divulgar todo lo que se ha dicho sobre el ADD de "arriba abajo" y de "abajo arriba". "De arriba abajo" a través de los profesionales, y "de abajo arriba" por medio de los padres. Es de esperar que existan cada vez más recursos disponibles a medida que los padres soliciten más servicios locales para sus hijos y que los profesionales sean más conscientes de la demanda. Pero, en realidad, es el poder de la unión de los padres el que marcará el paso.

Sólo quiero agregar algo, que nace directamente de mi corazón, por haber padecido este problema a lo largo de mi vida.

Los niños no eligen nacer. No pueden decidir si van a medir 1,60 o 1,70 metros, si tendrán ojos marrones o azules, si serán gordos o flacos, hombres o mujeres. Tampoco pueden decidir si van a padecer el ADD. Si lo padecen, con seguridad van a pasar malos momentos durante su vida. Podrán parecer perfectamente normales, pero su comportamiento, su nivel de actividad y sus problemas de atención les van a causar muchas dificultades. Si no se los diagnostica y se les ofrece un tratamiento adecuado, los niños que padecen el ADD correrán el riesgo de padecer problemas aún más graves en el transcurso de su vida.

Educar un niño afectado por el ADHD es todo un desafío, para decirlo suavemente. Cuando las cosas se complican, no dudéis en llamar a LADDER y, al hacerlo, recordad que vuestro hijo no eligió nacer así. A los niños que padecen el ADD se los critica y se les reprochan muchas más cosas que a los demás, y como esto se une a la pobre autoimagen que parece ser inherente al síndrome, no se tarda muchos años en destruir la autoestima del niño. Sois todo lo que ellos tienen en el mundo, de modo que, aunque os resulte difícil, *os ruego* que los comprendáis, los apoyéis y, por encima de todo, los améis.

Prefacio

═══════════

H E ESCRITO ESTE LIBRO porque la mayoría de los padres de niños hiperactivos se muestran confundidos por la información que se les ofrece. La palabra «hiperactividad» se ha convertido en un término controvertido que provoca la alarma de ciertas personas y los temores de otras. Formo parte de un equipo de atención psiquiátrica infantil que está intentando ayudar a los niños que sufren este tipo de problema. A través de este trabajo he podido corroborar cuán difícil resulta para los padres recibir informaciones contradictorias de diversas fuentes. También me he dado cuenta de que el problema es realmente complicado, y que las controversias surgen debido a que generalmente se presenta una parte de la verdad como si fuera la totalidad.

Si se escucha a un experto, la hiperactividad se debe a una dieta inadecuada. Si se escucha a otro especialista, dirá que el tratamiento con drogas es el único tratamiento posible. Un tercero afirmará que no existe problema alguno. No debe sorprendernos que los padres se sientan confundidos y no sepan qué camino seguir. En los EE.UU., el uso de las drogas estimulantes es tan común, y aumenta con tanta rapidez, que la Organización Mundial de la Salud ha tenido que expresar su preocupación. Hasta hace muy poco tiempo, en el Reino Unido los profesionales detectaban muy ocasionalmente la hiperactividad, y el tratamiento a base de medicamentos (metilfenidato) ni siquiera existía en el mercado.

Actualmente, muchos centros de salud mental están introduciendo programas de tratamientos para la hiperactividad, pero existe el temor creciente entre los educadores y los medios de comunicación de que se utilice el tratamiento con drogas como un sustituto de las intervenciones psicosociales cuyos resultados son a largo plazo. Simultáneamente, la investigación ha permitido conocer interesantes resultados en relación con una base genética y una disfunción cerebral que parecen ser características de la hiperactividad. Como estos descubrimientos aún están sujetos a debate, no se realizan todavía pruebas de ADN ni resonancias magnéticas de rutina del cerebro, aunque es de esperar que ambos se incluyan en la práctica clínica futura. Estamos ante un momento muy importante, y los padres y educadores de los niños hiperactivos deben comprender la naturaleza de los problemas y luchar para ser escuchados.

He conocido varios niños a quienes una educación comprensiva y un adecuado tratamiento les ayudaron a afrontar sus dificultades, y a muchos niños que han luchado por conseguir una vida útil y feliz. Una de las cosas que más me ha impresionado es comprobar cuán beneficiosa puede resultar la ayuda de los padres o de otros miembros de la familia. Una actitud positiva, estimulante y de aceptación puede significar una enorme diferencia para que los niños se acepten a sí mismos y resuelvan sus propios problemas.

Es obvio que para ayudar al niño en este sentido es preciso estar informado. En este libro he intentado ofrecer información. Existen algunas sugerencias acerca de los pasos que es necesario dar para autoayudarse, y también referencias sobre lo que se conoce de este trastorno. También he procurado indicar los límites del conocimiento, porque es preciso conocerlos para que sea más sencillo tomar decisiones en nombre de los hijos.

A menudo me he referido a un niño como «él», pero esto no implica que sólo los niños padezcan de este síndrome, o que los problemas de las niñas no tengan importancia. Es simplemente una cuestión de estilo: decir «él o ella» y «ellos» hubiera resultado engorroso. He elegido «él» porque la hiperactividad es más común en los varones, aunque, sin embargo, ambos sexos pueden desarrollar la enfermedad.

1

¿Qué es la hiperactividad?

E STE LIBRO SE HA ESCRITO pensando esencialmente en los padres de los niños que presentan, o se
sospecha que puedan presentar, problemas de comportamiento relacionados con la hiperactividad.

Si os encontráis en esta situación, seguramente habréis
recibido consejos que os confundieron o preocuparon aún
más de lo que estabais. Los profesionales de las clínicas, los
científicos y los escritores de periódicos y revistas no terminan de ponerse de acuerdo, y esto se debe en parte a que la
palabra «hiperactividad» actualmente tiene diferentes signi-
ficados para diferentes personas. En este capítulo explicaré
principalmente lo que la palabra hiperactividad debería
querer decir, y en el próximo capítulo me ocuparé de algunos de los diferentes patrones de comportamiento.

¿Qué significa «hiperactividad»?

La hiperactividad es un patrón de comportamiento ca-
racterizado por la vehemencia y la inquietud. Los niños hiperactivos están siempre en movimiento, no se quedan
quietos ni siquiera en situaciones que requieren una calma
relativa, como, por ejemplo, en clase. En casos extremos,
los niños pueden ser absolutamente incapaces de entretenerse solos; parecen estar buscando constantemente algo

que nunca llega. La hiperactividad también se caracteriza por una falta de autocontrol; de forma imprudente e impulsiva el niño llega a conclusiones sin calcular lo que implican, y este proceder a menudo lo lleva a enfrentarse con problemas de disciplina o a sufrir accidentes.

En otras palabras, la hiperactividad es mucho más que un exceso de actividad. La diferencia es un niño exultante de energía pero que no presenta dificultades en su desarrollo, en tanto que la actividad de un niño hiperactivo es caótica y carente de concentración, además de ser excesiva.

¿Qué significa falta de atención?

La falta de atención es otro de los constantes problemas de conducta. Los niños afectados no son capaces de prestar atención durante un periodo prolongado, y por ello sólo dedican poco tiempo a las actividades constructivas. No son constantes en los juegos, ni al entretenerse con los juguetes, ni al hacer la tarea escolar; por el contrario, «saltan» de una cosa a otra. Esto significa que no aprenden todo lo que deberían y, como resultado, con frecuencia son tildados de «distraídos» por pasar de una cosa a otra, o de «descuidados» por ser desorganizados. No necesariamente serán también hiperactivos —algunos son pasivos y tranquilos—, pero si lo son, más adelante surgirán problemas de mayor consideración.

¿Cuándo es necesario un diagnóstico?

La hiperactividad y la falta de atención severas pueden representar un problema médico que requiera un tratamiento, y que a menudo no recibe. Si un niño no presta atención a lo que hace y es caótico en todas sus actividades, es preciso evaluar cuidadosamente la situación. Este trastorno suele aparecer a edad muy temprana, se convierte en un verdadero problema en la escuela y puede persistir durante años y afectar las relaciones, el aprendizaje y la felicidad. Se lo conoce con el nombre de «síndrome hipercinético». Es una discapacidad invisible de la que no tienen culpa el niño ni sus padres. La investigación está revelando las causas de esta enfermedad, y ya existen ciertos tratamientos para mantenerla bajo control. En el Apéndice de la parte final de este libro se explica de qué forma los médicos e investigadores diagnostican la enfermedad. La información ha sido recogida de la principal clasificación internacional de casos publicada por la Organización Mundial de la Salud (ICD-10).

Existe otro tipo de diagnóstico que se utiliza en Norteamérica y en Australia y que se denomina trastorno de hiperactividad/falta de atención (AD/HD). Incluye todos los casos de desórdenes hipercinéticos, junto con un gran número de problemas de menor importancia. Por ejemplo, se podría incluir en el diagnóstico a aquellos niños que, a pesar de prestar atención, son muy inquietos y a los que tienen una actividad normal, pero no logran concentrarse durante mucho tiempo, y esto les supone un gran problema. Si a vuestro hijo lo diagnostican como AD/HD, con toda seguridad desearéis saber si padece el aspecto más severo y preocupante del trastorno hipercinético.

Algunos niños que se comportan de un modo hiperactivo no deberían ser diagnosticados como hipercinéticos. Es un gran error realizar un diagnóstico basándose en una lista de verificación como se muestra en el Apéndice, porque de esta forma sólo se evalúa el comportamiento obvio del niño. Existen otras preguntas:

¿Cómo es de grave el problema? Un niño muy energético puede, sin embargo, ser capaz de concentrarse en sus estudios y aprender, controlarse a sí mismo cuando es necesario y tener amigos. El diagnóstico sólo se aplica cuando los problemas de hiperactividad o de falta de atención obstaculizan su desarrollo.

¿Existe una causa diferente? Algunas veces los problemas de comportamiento dependen de una determinada situación más que del niño. Cualquiera se puede convertir en

una persona inquieta y negligente cuando está sometido a una gran tensión o cuando está aburrido. Por ejemplo, un maestro puede perder el control de una clase hasta un extremo tal que muchos niños comiencen a alborotarse y a cometer acciones destructivas. Obviamente, esto no significa que todos los niños padezcan la enfermedad. Sin embargo, en algunos casos las tensiones que sufren los niños pueden resultar menos evidentes porque actúan a largo plazo. Por este motivo es peligroso hacer un diagnóstico de hiperactividad a un niño, ya que las causas reales permanecerán ocultas y no se aplicará un tratamiento adecuado.

¿Existe un trastorno diferente? En algunos casos un niño no tiene concentración porque está preocupado, o porque se le ha encomendado un trabajo que es demasiado difícil para que él lo resuelva, ya que nadie ha descubierto sus problemas de aprendizaje; o por el contrario, porque el problema es demasiado fácil y no es un estímulo suficiente para su inteligencia.

En ocasiones los niños pueden ser desorganizados porque están motivados a quebrar las reglas que gobiernan el comportamiento social (trastorno desafiante y negativista: ODD). Una de las causas de este comportamiento es la hiperactividad, pero existen muchas otras causas, y el ODD puede hacer que un niño parezca hiperactivo simplemente porque es desorganizado o destructivo. La hiperactividad puede ser también la presentación de otro síndrome psiquiátrico, como el autismo o la depresión.

Por todas estas razones, en el caso de que se haya indicado un tratamiento para la hiperactividad o para la falta de atención, podéis solicitar que se realice una evaluación exhaustiva de la salud mental del niño. Al detectar el síndrome AD/HD, la evaluación no ha hecho más que comenzar.

Discusiones sobre los términos

La palabra «hiperactividad» se utiliza confusamente de diferentes modos. Hay quienes la emplean cuando describen un síndrome hipercinético; otros la utilizan para indicar un exceso de actividad en los niños. Esto puede conducir a desacuerdos entre los padres y los profesionales. Por ejemplo, os preocuparíais inútilmente si alguien definiera a vuestro hijo como hiperactivo refiriéndose exclusivamente a su nivel de actividad actual. Si los padres consideraran que la hiperactividad es un impedimento o una discapacidad, podrían temer que el problema fuera mucho más grave de lo que es.

También sucede lo contrario. En ocasiones pueden sentirse frustrados si el médico o psicólogo no se ocupan de la ansiedad que les despierta la hiperactividad de su hijo. El profesional puede decirle que el niño no tiene problemas mentales ni físicos, y que no padece el síndrome hipercinético; ellos sentirán que el problema de comportamiento no ha sido detectado. Es esencial que exista una buena comunicación.

Otras palabras que también se utilizan ocasionalmente

Existe una variedad de términos técnicos que se han utilizado de forma que se superponen con la «hiperactividad», y esto puede generar confusión.

Disfunción cerebral mínima, deterioro cerebral mínimo y MBD son términos utilizados para describir la hiperactividad y las dificultades de aprendizaje. Se trata de términos confusos porque implican que la hiperactividad es siempre el resultado de una enfermedad cerebral y actualmente se sabe que no es así.

Los trastornos de aprendizaje se refieren a problemas de aprendizaje escolar, como la incapacidad para aprender a leer. Esto no tiene nada que ver con la hiperactividad, aunque los niños hiperactivos pueden tener también problemas de aprendizaje, y viceversa.

Los **trastornos de comportamiento** se refieren a una conducta antisocial o agresiva. Igual que los trastornos de aprendizaje, son diferentes de la hiperactividad, aunque en ocasiones coexisten con ella.

¿Cómo se sienten los niños hiperactivos?

Los niños no suelen quejarse de la hiperactividad. Algunas veces un niño brillante o introspectivo se empeñará en superar sus dificultades al decir «No puedo concentrarme en nada de lo que hago», pero es ésta una forma de pensar demasiado sofisticada para un niño. Por lo general, los niños perciben con claridad las reacciones de los demás y sufren por ello. Los comentarios más representativos son, por ejemplo, «Siempre tengo problemas», «Todo el mundo me grita», «Los maestros no son justos». Todos ellos atestiguan la forma en que reaccionan los niños y los adultos.

Crecer en un ambiente semejante puede resultar una experiencia agobiante. Algunos niños se enfadan y son vengativos; otros piensan cosas negativas de sí mismos. Se describen a sí mismos con frases como: «Soy un estúpido», «No sirvo para nada» o «No me importa». Muchos de ellos resultan alienados por la familia, los maestros o los amigos; la soledad y la frustración los pueden convertir en niños antisociales, y unos pocos pueden actuar con verdadera desesperación.

Algunos niños, especialmente en países donde se diagnostica la hiperactividad con mucha frecuencia, piensan que padecen un «deterioro cerebral mínimo» o una «atención deficiente» y ello constituye una excusa para todo lo que hacen e incluso pueden disminuir su sentido de la responsabilidad.

Los niños hiperactivos que se acomodan a la situación son los que observan que los padres y maestros son capaces de comprender la existencia de esa discapacidad sutil, aceptando y respetando la personalidad del niño.

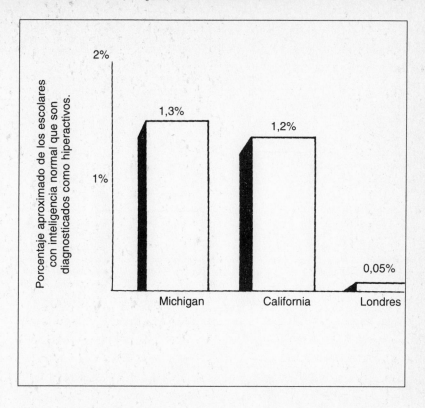

Este gráfico muestra las grandes diferencias que existen entre el número de niños diagnosticados como hiperactivos en los EE.UU. y en Gran Bretaña. Los números reflejan los diferentes patrones para reconocer la hiperactividad, no necesariamente una cifra de mayor incidencia.

El punto de vista radical: la hiperactividad como mito

La hiperactividad ha sido a veces vendida como una idea. En algunos países se han desarrollado industrias alrededor de ella, y especialmente alrededor de los tratamientos médicos a base de drogas. Es comprensible que se haya producido un retroceso, que hayan surgido críticas radicales y que el público en general esté preocupado.

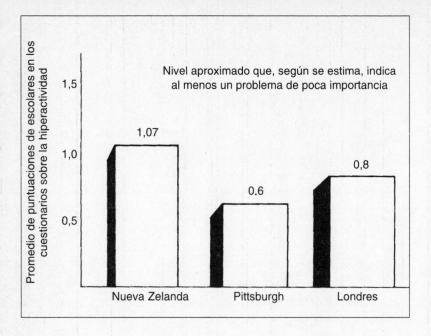

A pesar de las enormes diferencias que se observan en el primer gráfico, cuando se pidió a los maestros que rellenaran unos cuestionarios, se concluyó que el nivel de hiperactividad en los niños de edad escolar en todo el mundo era muy similar.

La esencia de este caso de «anti-psiquiatría» es que la hiperactividad no es en absoluto un problema infantil. El problema reside en que los adultos intentan responsabilizar a los niños por los desódenes sociales que sufren. Es más conveniente etiquetar a un niño como hiperactivo que argumentar que en la escuela le han enseñado mal o que su familia lo ha convertido en un chivo expiatorio.

El «tratamiento» puede ser a base de medicamentos, una psicoterapia o la educación especial, pero el objetivo siempre es que el niño cambie. La práctica correcta es alterar el entorno para que se adapte a su hijo, y no alterar al niño para que se adapte a la sociedad.

Algunos aspectos de este punto de vista parecen tener sentido. El enfoque médico que afirma que la hiperactividad es una enfermedad es incorrecto si se aplica de una forma general, y podría conducir a un tratamiento excesivo a base de drogas o de otros tipos de tratamientos. Los más radicales han descrito claramente esta trampa y han destacado la importancia de evitarla.

Es bastante probable que la gente cierre los ojos frente a la necesidad de reconocer que una hiperactividad desorganizada y severa está obstaculizando el desarrollo psicológico de los niños; como también lo es que se predique una amplia reforma social y se rechace un compromiso individual. Algunos niños hiperactivos, en especial los que están más afectados, tienen un problema que supone un obstáculo para cualquier tipo de ambiente. Ellos merecen ser comprendidos y recibir ayuda; vosotros, como padres, probablemente descubriréis que es preciso dar lo máximo de vosotros mismos.

¿Es común la hiperactividad?

Los investigadores de diversos países han formulado aleatoriamente preguntas a niños y padres con el fin de descubrir cuán comunes son los problemas de comportamiento. Al preguntar a los padres: «¿Es su hijo excesivamente activo?», el 30 por 100 contestó afirmativamente. Ésta debería ser una cifra tranquilizadora, ya que enfatiza que la mayoría de los niños normales son muy activos, y que los padres que tienen dificultades para afrontar la situación están acompañados. Por supuesto, esto no quiere decir que el 30 por 100 de los niños padezcan desórdenes psicológicos. De hecho, implica que la mayoría de los niños que son considerados excesivamente activos por los adultos no necesitan tratamiento alguno.

Al realizar ciertos estudios de investigación se solicitó a los maestros o a los padres que rellenaran unos cuestionarios sobre los comportamientos individuales que conforman el patrón de la hiperactividad. Principalmente se concluyó que existía una amplia gama de actividad entre los escolares. La actividad «normal» es parte de ese espectro que gradualmente se inclina hacia niveles excesivos en uno de los extremos. El lugar donde podríamos trazar una línea divisoria entre la inquietud anormal y la normal es bastante arbitrario y existe una razón para ser algo conservador con respecto a ello. Los estudios del Reino Unido sugieren que un niño entre 200 sufre del síndrome hipercinético; los investigadores norteamericanos sugieren que alrededor del 5 al 8 por 100 de los niños padecen trastornos de falta de atención. La diferencia no se debe a que en Norteamérica el síndrome sea más común, sino a que los patrones para detectarlo son diferentes.

Naturalmente, no todos los niños identificados en los estudios deberían ser diagnosticados como hiperactivos ni recibir tratamiento. En los EE.UU. la investigación sugiere que algo más de uno entre cien niños de inteligencia normal en la escuela primaria son diagnosticados como hiperactivos. La mayoría reciben un tratamiento a base de medicación, especialmente estimulantes como la anfetamina y el metilfenidato (véase pág. 139). Para la mayor parte de las clínicas británicas ésta parece ser una cifra demasiado alta. En el Reino Unido la cifra es de 1 niño cada 2.000. Los niños británicos con problemas de conducta reciben tratamiento en cifras semejantes a las de los EE.UU., pero en general reciben otro diagnóstico, a menudo «trastorno de conducta». Además, las drogas empleadas en los EE.UU. rara vez son recetadas en el Reino Unido, donde se favorecen los enfoques psicológico y educativo, aunque la necesidad excede la demanda. De cualquier modo, es probable que sea necesario realizar mejores reconocimientos profesionales en Gran Bretaña, ya que la detección de la enfermedad no ha hecho más que comenzar.

Diagnóstico y tratamiento

Los mejores métodos para el diagnóstico y tratamiento de la hiperactividad están en vías de desarrollo. Las razones no deberían enturbiar los acuerdos. A ambos lados del Atlántico, la hiperactividad se considera un problema de comportamiento significativo, que es diferente a la agresividad o a un mal comportamiento. En la mayoría de los países se estima que tiene diversas causas, psicológicas y físicas, algunas heredadas y otras ambientales. En muchas partes del mundo la hiperactividad es considerada un riesgo para el desarrollo psicológico, y existe una preocupación real por paliar sus consecuencias.

Mucha gente sostiene que la hiperactividad es cada día más común; algunos llegan a declarar que se trata de una epidemia que afecta a nuestros niños. No existe nada de cierto en estas afirmaciones. Es verdad que en los últimos 30 años muchos más niños han sido diagnosticados como hiperactivos en los EE.UU. pero esto simplemente pone de manifiesto la preocupación existente en relación con el tema y la celeridad con que los pediatras y psiquiatras infantiles diagnostican la enfermedad. La gente joven que pertenece a las sociedades occidentales se ha mostrado más incontrolada durante este periodo, pero esto se debe probablemente a un cambio cultural y social, y no a un aumento de la hiperactividad.

Complicaciones de la hiperactividad

En el capítulo nueve me ocuparé especialmente de qué es lo que sucede con los niños hiperactivos cuando crecen. Pero lo que se debe destacar en este momento es que la importancia de la hiperactividad reside en que los niños corren el riesgo de sufrir otros problemas. Los niños hiperactivos no sufren el mismo nivel de hiperactividad a lo largo de toda su infancia; por lo general, el problema original habrá mejorado sustancialmente al llegar a la adolescencia.

Lo que es más preocupante es que los niños pueden sufrir fracaso escolar, desarrollar una pobre imagen de sí mismos y caer en relaciones de castigo con las personas más

próximas a ellos. Éstas son las cicatrices que pueden aparecer como resultado de las dificultades en la infancia. Pueden constituir una de las vías hacia la delincuencia, e incluso para el patrón adulto de comportamiento conflictivo denominado «desorden de la personalidad.» De todos modos,
las cicatrices no son inevitables y sus consecuencias pueden
no ser tan desoladoras.

En los últimos capítulos describiré los tipos de tratamientos que se ofrecen y cuyo objetivo a largo plazo es evitar
complicaciones futuras. Es importante recordar que muchos
niños hiperactivos, incluso sin un tratamiento específico, se
desarrollan normalmente hasta convertirse en adultos.

2

Cómo reconocer
la hiperactividad

T RAS LA LECTURA DEL PRIMER CAPÍTULO puede
parecer que la hiperactividad es fácil de reconocer, y,
en cierto sentido, lo es, especialmente cuando es lo
suficientemente grave como para ser obvia, y cuando se trata de un problema «puro» sin otro tipo de desórdenes psiquiátricos. Este tipo de dificultad es a menudo una de las
formas de este síndrome que resulta más fácil tratar.

¿Hiperactiva, o alborotadora?

Betty fue apartada del colegio cuando tenía siete
años. Sus maestros afirmaban que era amigable y alegre, pero que era imposible mantenerla en clase porque cantaba en voz muy alta y no paraba de hablar ni
de correr de un lado a otro, distrayendo a los demás
niños; su propio progreso se había estancado porque
no lograba concentrase en ninguna actividad. Sus maestros intentaron por todos los medios ayudarla a aprender a leer y a iniciarse con los números, pero no lograba
progresar a pesar de su inteligencia y de que era capaz
de articular las palabras.

Los demás niños la rechazaban y creían que era ton-
ta, de modo que no tenía amigos: pero ella siguió
mostrándose muy amable y también algo mandona

con ellos. Un psicólogo la sometió a una serie de pruebas que no fueron fáciles de realizar debido a que se
distraía constantemente. Sin embargo, cuando un
adulto le presentaba un rompecabezas, era capaz de
hacerlo perfectamente, y en una prueba de inteligencia
reveló tener un C.I. por encima del promedio (véase el
gráfico de la página 75).

Los padres intentaron diferentes dietas que funcio-
naron inicialmente, pero sin ofrecer reultados durade-
ros. Sus padres y hermanos la consideraban bulliciosa,
muy traviesa y algo egocéntrica, pero habían sido capaces de llevar bien la situación hasta que comenzaron a
surgir los problemas escolares. Entonces su madre em-
pezó a sentirse muy desdichada y a culparse por todos
los problemas de Betty. De todos modos, sus padres
habían sido tolerantes con los pequeños dilemas y se
habían mostrado firmes frente a los problemas más importantes y, probablemente, de esta forma contribuye-
ron a evitar que desarrollara más conflictos emotivos.

El tratamiento comenzó unos meses más tarde.
Betty asistió a tiempo parcial a una clase especial; el
maestro dividió el aprendizaje en pequeños pasos ase-
quibles, que ella era capaz de realizar con rapidez.
También asistió a una clínica para aprender técnicas
de autocontrol, y sus padres aprendieron a ayudarla en
las prácticas y a recompensar sus progresos. Su creciente autoestima contribuyó a que pudiera regresar a
una clase normal, en una nueva escuela, en la que
pronto tuvo muchos amigos. Aún es una jovencita algo
aficionada a los juegos masculinos, pero puede aprender y satisfacer las expectativas de los maestros en términos de disciplina, y además es popular.

Para Betty fue muy importante que sus problemas fueran detectados a tiempo. Como etiqueta, la «hiperactividad»
fue probablemente más útil que la de «alborotadora». Algunas veces, la hiperactividad no es realmente el problema. En

el capítulo cinco se mencionan algunas de las razones que pueden conducir a los padres a preocuparse excesivamente. No es bueno para un niño normal que se le asigne esta etiqueta —incluso puede perjudicarlo.

¿Hiperactivo, o un problema de sueño?

Víctor tenía tres años cuando, en un momento crítico, su madre lo llevó al médico porque no sabía cómo afrontar su hiperactividad. De hecho, durante el día no había ningún problema. Era un niño voluntarioso e inteligente que se enfadaba mucho cuando no conseguía hacer lo que deseaba. Esto no creaba ninguna dificultad a la familia, pero por la noche su madre tenía que luchar consigo misma para no pegarle. Después de dormir unas pocas horas, comenzaba a gritar luego de que sus padres se acostaban; aparecía en la habitación matrimonial, y cuando su madre le ordenaba que volviera a su cama montaba verdaderos berrinches y se metía en la cama con ellos, propinándoles puntapiés durante toda la noche.

La madre presentía que el niño tenía algún problema que requería atención médica. Sus temores se habían intensificado desde que había leído unos artículos en una revista sobre la hiperactividad, y por su propia falta de sueño. También temía que su hijo se viera moderado por determinados rasgos de carácter. Su marido se limitaba a hacer comentarios cáusticos acerca de la falta de capacidad de la madre para sacar adelante a «su» hijo.

En este ejemplo no existe ninguna duda de que Víctor padecía el síndrome hipercinético: su desarrollo progresaba normalmente, aunque evidenciaba un problema «común» con respecto al sueño, pero éste sólo perturbaba a las demás personas; la etiqueta de hiperactividad le estaba haciendo más daño ya que impedía que sus padres respondieran de una forma natural a una dificultad normal. La salida para este particular estancamiento se debía más a causas personales que médicas, tal y como se describe en el capítulo ocho.

Otros ejemplos de etiquetas equivocadas

Vuestro hijo puede padecer otro tipo de problemas a causa de los cuales es excesivamente activo o carece de concentración. En cierta ocasión me enviaron a un niño por su excesiva actividad; durante la entrevista descubrí que estaba muy ansioso porque existían muchas tensiones familiares, y esa ansiedad se manifestaba en una compulsión a tocar todo lo que estaba en orden dentro de una habitación. Como es natural, esto lo convertía en un niño extremadamente activo pero de ninguna manera hiperactivo.

En ocasiones se envía a los niños a las consultas de los especialistas porque no son capaces de concentrarse, aunque su mayor obstáculo es, de hecho, un desorden específico de aprendizaje (véase la página 74). En la mayoría de los casos, a los niños les resulta muy difícil el trabajo que les han encomendado y, por lo tanto, tienen dificultades para concentrarse en él.

Algunas veces se ha descubierto que los niños eran sordos. Esta barrera en la comunicación los ha hecho parecer insensibles e incapaces de prestar atención. Otros niños están tan preocupados por miedos imaginarios o preocupaciones que disponen de muy poca energía sobrante para concentrarse en la escuela o en sus juegos.

Evidentemente, no es justo esperar que los padres diagnostiquen a sus propios hijos. Si advertís que existe algún problema significativo, podéis hablar de ello en primer lugar con el maestro, la asistente social, el médico de la familia o un pediatra, en vez de dirigiros directamente a alguna organización que se ocupe exclusivamente de la hiperactividad y que no está cualificada para tratar otros problemas. Incluso cuando los niños son hiperactivos, tratar este problema de forma aislada no le ayudará a solucionar otros problemas.

¿No existe una cura única?

Simón fue un bebé prematuro. Necesitó cuidados especiales durante sus primeros meses de vida y sufrió varias convulsiones al llegar al año de edad. Los ataques desaparecieron gradualmente, pero era evidente que su capacidad para comprender no se desarrollaba como la de los otros niños.

Desde que tenía dos años comenzó a revelar un patrón de excesiva actividad que continuó hasta que tenía diez años. No podía concentrarse en ninguna tarea o juego durante más de diez segundos. Pasaba los días andando de un lado para otro, cogiendo de tanto en tanto un juguete por el que pronto perdía interés. A veces se pasaba horas bamboleándose hacia delante y hacia atrás con sus manos metidas en un cuenco con agua. Cuando comenzó el tratamiento, a la edad de cinco años, sólo se expresaba mediante gruñidos, pero mostraba un intenso aprecio por personas a las que nunca antes había visto.

Sus padres, maestros y terapeutas intentaron ayudarle a que lograra concentrarse por todos los medios que tenían a su alcance, y realmente progresó; pero aunque su lenguaje había mejorado (a un nivel de un niño de seis años cuando él tenía diez) y su concentración había evolucionado lo suficiente como para atender una tarea junto a su maestra durante periodos de diez o quince minutos, tenía un marcado retraso de aprendizaje y sus relaciones no eran duraderas.

Simón era efectivamente hipercinético pero también tenía otros problemas. Hubiera sido un error centrar la educación y el tratamiento en ese único problema. Su retraso intelectual y su torpeza con los otros niños requerían ayuda, y estos problemas no mejoraron en gran medida cuando se liberó del problema de la hiperactividad. No había ninguna cura posible, ni a través de la dieta, ni de los medicamentos, ni de la psicoterapia. El niño necesitaba un tratamiento combinado de terapia y educación especial, pero incluso cuando se practicaron no fue posible resolver sus problemas.

¿Es posible no reconocer la hiperactividad?

La hiperactividad puede pasar desapercibida si, por ejemplo, se presenta junto a otro problema que se superpone a ella.

Harold me fue enviado por indicación del colegio cuando tenía nueve años. Su problema era la agresividad y violencia hacia los demás. Había empujado a un niño a través de una ventana en el transcurso de una pelea, y había herido a otro con unas tijeras. En dos colegios lo habían considerado incontrolable y lo habían expulsado. Todos cuantos lo conocían lo consideraban salvajemente activo, incapaz de prestar atención a nada, aislado de los niños de su misma edad y encolerizándose cuando se sentía frustrado. Éste había sido su patrón de comportamiento en sus primeros años de vida, pero además se había convertido en un niño cada vez más irritado. Su temperamento y su inseguridad parecían estar asociados a una vida familiar tormentosa, en la que las discusiones entre los padres —debido a que su padre era jugador— generalmente terminaban en una pérdida de control y una escalada hacia la violencia.

El tratamiento se inició con una combinación de entrevistas familiares y sesiones individuales para Harold, pero no funcionó bien y el niño no parecía beneficiarse de la terapia. De modo que se le administró una prueba de «estimulantes» para su hiperactividad (véase el capítulo nueve) con resultados poco positivos y escasamente alentadores. Su concentración y su autocontrol mejoraron en gran medida, permitiéndole beneficiarse de la ayuda psicológica que le brindaban sus terapeutas y sus maestros.

Los diversos ejemplos descritos no agotan las diferentes formas en que se puede presentar el exceso de actividad o la hiperactividad, pero destacan que cada niño es un individuo que necesita ser plenamente comprendido y no meramente diagnosticado. También ilustran algunos de los peligros ocultos que existen al tratar este tipo de problemas.

Aspectos que se debe tener en cuenta. He aquí algunos aspectos que se deben considerar si se sospecha que un niño es hiperactivo:

- Si vuestro hijo no presenta un trastorno evidente, entonces no hay necesidad de pensar que sufre de una variedad sutil de la enfermedad que permanece oculta. La hiperactividad conduce a problemas reales de adaptación personal. Es posible que en ocasiones sea difícil conocer exactamente dónde reside el problema, pero en general resulta evidente que hay algún conflicto.
- El exceso de actividad puede estar motivado por diferentes tipos de tensiones. Hablad de vuestro hijo con los parientes o amigos que lo conocen bien: ellos pueden señalar cuáles son esas tensiones y sugerir medios para eliminarlas.
- El exceso de actividad se puede deber simplemente a una abundancia de energía. En este caso, es una señal de salud y no un trastorno. Es posible que los niños vigorosos y brillantes sientan la necesidad de atender múltiples actividades —quizás necesitan jugar fuera de casa con mayor frecuencia— pero es improbable que necesiten un tratamiento médico.
- Cuando la excesiva actividad del niño está asociada con una incapacidad para concentrarse en algo duran-

te algunos minutos, para autocontrolarse en situaciones que demandan un comportamiento razonable o para demostrar compostura en el momento de empezar el colegio, entonces debéis consultar con un médico.

- Antes de los tres o cuatro años, la gama normal de actividad es tan amplia que resulta muy complicado detectar síntomas excepto en los casos muy graves de hiperactividad. Si tenéis problemas para adaptaros al alto nivel de actividad de un niño que empieza a andar, tal vez necesitéis un poco de ayuda y de asesoramiento. En esta etapa, no es necesario pensar que la dificultad persistirá hasta llegar a la hiperactividad.

3

Causas físicas de la hiperactividad

LOS NIÑOS SON MUY DIFERENTES, y dicha diferencia no es meramente el resultado del entorno familiar. En una época, los psicólogos infantiles (véase la página 135) creían que el modo en que se educaba a los niños era determinante para su etapa adulta. Existe algo de razón en esta afirmación, pero no es una verdad absoluta. Niños que viven en ambientes semejantes difieren mucho entre sí. Los bebés tienen personalidades bastante definidas incluso durante los primeros días de vida; y más tarde tienen influencia sobre sus padres y a la vez son influenciados por ellos. Esta interacción es esencial para el desarrollo de la personalidad de un niño.

En este capítulo describiré algunas de las influencias físicas que pueden afectar directamente a vuestro hijo y aumentar su hiperactividad. Ninguna de ellas debe ser considerada como «la causa» ya que la mayoría debe combinarse con otros factores para producir la hiperactividad. Todos ellos actúan conjuntamente con los factores psicológicos que describiré en los últimos capítulos. En ocasiones estas causas físicas son tan fuertes que ocasionan problemas más graves, independientemente del ambiente psicológico en el que crezca el niño, pero esto no es muy común.

A menudo no es fructífero tratar de buscar en el pasado una razón que explique los problemas de vuestro hijo. Generalmente no existe una única causa sino motivos diversos.

Hay quien encuentra que esto es frustrante, ya que preferirían identificar con precisión la causa definitiva del problema. Por otro lado, los padres pueden sentirse culpables al leer una relación de las posibles causas —como la que expongo a continuación— y reconocer algunas de ellas que pueden haber afectado a su hijo. Es probable que la idea de que no existe ningún culpable resulte tranquilizadora.

Algunas de las posibles causas que mencionaré son aún controvertidas. Una de ellas —las dietas del niño— han despertado mucha pasión, ya sea a favor o en contra, y requerirían un capítulo entero (véase la página 93). Los lectores que deseen profundizar aún más en el tema encontrarán referencias en la última parte del libro.

Temperamento

El temperamento de un niño es el primer paso en la formación de su personalidad que tiene diferentes aspectos, uno de los cuales es el nivel general de actividad. El temperamento se revelará de diferentes maneras y a diferentes edades.

Un bebé muy activo probablemente responderá de forma directa a los diversos estímulos del ambiente en que se desarrolla y moverá vigorosamente sus extremidades cuando esté despierto; y es muy probable que duerma profundamente. Un niño que comienza a andar con un alto nivel de actividad, saltará, correrá y trepará la mayor parte del tiempo. Muchos niños de dos y tres años son muy activos, pero en gran parte se trata de una actividad «normal» a esa edad.

Después de los tres años, la mayoría de los niños se calman un poco. Un niño de seis años que sea muy activo puede no desarrollar más actividad que un niño normal de tres años, pero ser más inquieto que otros niños de su edad. Un niño de diez años que sea muy activo puede apuntarse a numerosas actividades y ocuparse de diversos intereses, o puede tener una energía sin canalizar similar a la de un niño más pequeño. En otras palabras, el exceso de actividad implica diferentes tipos de comportamiento según la edad del niño. A través del desarrollo, los niños manifiestan un estilo para hacer las cosas, aunque lo que hagan parezca un tanto inconexo.

Otras diferencias. Aunque los niveles de actividad varían enormemente, éste no es el único aspecto —ni el más importante— en que los niños se diferencian entre sí. Otra importante diferencia es su capacidad para concentrarse y persistir en una actividad, que, una vez más, varía según la edad; también es variable la capacidad de los niños para adaptarse a nuevas situaciones, a nuevas personas u objetos.

Todas estas diferencias individuales pueden hacer que un niño sea hiperactivo, cuando se sitúa en uno de los extremos del espectro «normal». Existen otras variaciones que están menos relacionadas con la hiperactividad pero, también pueden determinar los patrones de relación de los niños. El humor es un ejemplo; es más fácil vivir con un bebé alegre y sonriente que con uno que llora sin cesar. Algunas personas pueden convivir mejor con un niño exigente y ordenado que con uno desordenado y despreocupado.

Ciertos investigadores norteamericanos han sido determinantes para establecer lo que pensamos de los niños y cómo se diferencian entre sí. Las variaciones tienen distintas fuentes. En parte son heredadas y en parte reflejan el tipo de entorno en el que crece el niño.

Varios de estos tipos de conductas conforman al «niño difícil» en el que destacan el nerviosismo, la tristeza, la falta de adaptación y la escasa concentración. Ser un niño «difícil» no es lo mismo que ser hiperactivo. Las dificultades de conducta de los niños son comunes y penosas: por ejemplo, no dormir o tener rabietas muy intensas. En los capítulos siete y ocho explicaré cómo es posible afrontar este tipo de problemas.

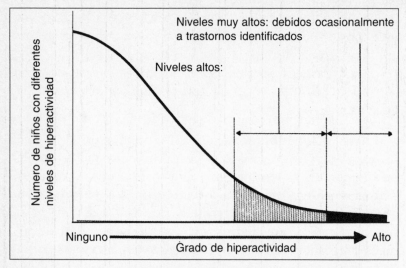

Espectro de los niveles de actividad. Sólo un número reducido de niños son realmente hiperactivos.

Dimensiones del temperamento

Poca actividad ◄----------- Actividad ----------► Excesiva actividad

Regular ◄--------------- Rítmo ---------------------► Irregular

El niño se altera mucho cuando   El niño no se altera cuando
cambia el ambiente ◄------- Adaptabilidad -----► cambia el ambiente

Se acerca a nuevas   Acercamiento-   Rehúye las situaciones
situaciones ◄-------------- Retirada -------------► nuevas

Responde sólo a estímulos   Responde a pequeños
intensos ◄------------------ Umbral ---------------► estímulos

Poca energía de   Gran energía de
respuesta ◄----------------- Intensidad -------------► respuesta

Positivo ◄------------------ Humor ----------------► Negativo

Alta ◄--------------------- Persistencia ----------------► Baja

Baja ◄-------------------- Distracción ---------------► Alta

El temperamento de un niño que desarrolla poca actividad y de un niño cuya actividad es excesiva son muy diferentes, y esto se refleja en los niveles de actividad y en el comportamiento.

Por el momento, deseo destacar que estos comunes trastornos de conducta no quieren decir que su hijo sea hiperactivo, ni que padezca algún problema que requiera la intervención de un médico. La hiperactividad puede ser un extremo del carácter normal y, como los demás aspectos del carácter, tiene múltiples causas.

Efectos del temperamento sobre otras personas

Quizá os resulte difícil comprender el temperamento extremo de vuestro hijo; en general, siempre resulta posible adaptarse a él, y tened presente que vuestro hijo responderá según la forma en que vosotros reaccionéis frente a la situación. Esto forma parte del desarrollo de una familia. El proceso puede realizarse de un modo incorrecto, en cuyo caso padres e hijos no logran entenderse.

Para algunos padres es relativamente sencillo relacionarse con un niño muy activo e incluso con un niño hiperactivo, pues encuentran que su compañía es divertida y estimulante. Para otros resulta muy complicado, pero esto no significa que sean malos padres; quizá serían mejor que otros si tuvieran que adaptarse a un niño tímido, introvertido y que no logra afirmarse.

No es necesario que os avergoncéis si no lográis poneros de acuerdo con vuestro hijo. Esto no significa necesariamente que la relación sea negativa, es posible entablar otro tipo de relación con él o ella e incluso llegar a valorar la parte positiva de una excesiva actividad. Si esa relación incluye la determinación y la afirmación, puede resultar muy útil para el futuro.

Causas biológicas

La «variación normal» es sólo una de las razones para la inquietud y la falta de atención. Por lo general, se trata del aspecto más suave de la hiperactividad que se puede considerar como el extremo de la variabilidad normal. Los tipos más graves de hiperactividad pueden tener causas biológicas.

¿Es hereditaria la hiperactividad?

Las características físicas y del comportamiento se transmiten de padres a hijos por medio de unidades mínimas de material genético llamadas genes. Los seres humanos tienen 23 pares de cromosomas, y cada uno de ellos transporta muchos genes. El hijo recibirá aproximadamente la mitad de sus genes del padre y la otra mitad de la madre. Los hermanos tienen, por término medio, la mitad de sus genes en común (véanse los diagramas de la página 54).

Los gemelos no idénticos se desarrollan a partir de dos huevos (u óvulos) separados que son fertilizados simultáneamente. Cada uno de los gemelos tiene un conjunto diferente de genes y los dos niños no son idénticos. Los gemelos idénticos provienen del mismo óvulo fertilizado que se divide en dos fetos. Por ello, poseen exactamente los mismos genes (véase el diagrama de la página 54).

Cuanto más estrecha sea la relación de una persona con un niño hiperactivo, más probable será que evidencie los mismos problemas de conducta. El nivel de actividad de los gemelos idénticos es más parecido que el de los gemelos no idénticos; los hermanos se parecen más que los medio hermanos.

Esto nos sugiere que algo de lo que se hereda contribuye a la hiperactividad. Pero esto no es completamente cierto, ya que incluso los gemelos idénticos pueden tener una actividad y una capacidad de atención diferentes. Del mismo modo, es preciso destacar que los niños no eligen ser hiperactivos, no es culpa de ellos, pero tampoco se debe a que los padres hayan cometido errores al educarlos. Actualmente se están realizando nuevas investigaciones, y queda aún mucha labor por hacer.

Ya se ha logrado identificar diversos genes individuales. Se han encontrado modificaciones del ADN en ciertos genes que codifican las moléculas de las células nerviosas (véase el diagrama de la página 141). Por ejemplo, los genes que generan las moléculas que transportan el transmisor químico denominado dopamina a través de las paredes de las células nerviosas, y algunas formas de los receptores de la dopamina, muestran a menudo formas diferentes en los niños hiperactivos que en los niños «normales».

De todos modos, no se trata de los «genes de la hiperactividad» que nos brindarían pruebas precisas para el diagnóstico. Para algunos, la gran mayoría de los niños con estos genes diferentes no son en absoluto hiperactivos. Para otros, existen probablemente muchos genes comprometidos en la situación. Y aún más, puede que no sea la hiperactividad lo que se herede, sino cierta tendencia a reaccionar de forma específica ante determinados ambientes. Resulta bastante improbable que a vuestro hijo le hagan una prueba genética como parte de la evaluación diagnóstica. El único gen que seguramente será sometido a una prueba clínica es el «X frágil» e incluso esta prueba sólo suele ofrecerse a los niños con retraso en el desarrollo.

Muchos padres que han sufrido de hiperactividad cuando eran niños temen transmitírsela a sus hijos y a las próximas generaciones. Sin embargo, las leyes de la herencia son complejas y, en cualquier caso, se trata de un factor entre otros muchos.

¿Tiene importancia el sexo de mi hijo?

La diferencia más evidente entre los niños es su sexo. Es interesante comprobar que existe una gran diferencia entre niños y niñas en términos de hiperactividad. Los

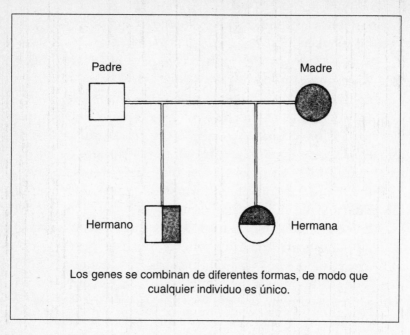

Los genes se combinan de diferentes formas, de modo que cualquier individuo es único.

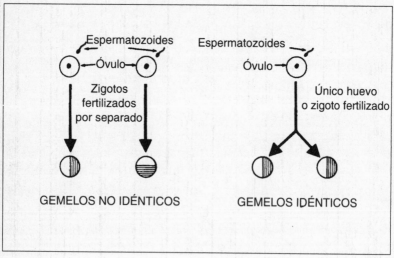

Parte superior: *Un niño recibe aproximadamente la mitad de sus genes de su madre y la otra mitad de su padre, pero los genes se combinan de formas diversas y cada niño es único.*

Parte inferior: *Gemelos idénticos y no idénticos.*

niños tiene tres o cuatro veces más posibilidades de sufrir este problema.

En parte, esto puede deberse a que no es tan probable que las niñas desarrollen los otros problemas asociados a la hiperactividad —tal como una fuerte agresividad— y, por lo tanto, tienen menos probabilidades de padecer este trastorno que requiere una evaluación y un tratamiento. Se espera que las niñas sean más tranquilas y también más conformistas. Pero además se ha sugerido que en parte esa diferencia se debe a que el cerebro de las niñas se desarrolla de un modo más estable que el de los niños y por ello tienden menos a cualquier tipo de retraso en su desarrollo.

Desarrollo lento

De alguna forma, la hiperactividad se podría describir como un tipo especial de desarrollo lento.

Los niños pequeños corretean mucho más que los niños mayores, y aunque se concentran intensamente, lo hacen durante un breve periodo de tiempo. Lo que se considera normal para un niño de tres años en su propia casa representaría un problema para un niño hiperactivo de ocho años que lucha por llevarse bien con sus amigos, maestros y por progresar en la escuela. Esto, obviamente, significa que se debe juzgar si un niño es hiperactivo comparándolo con una muestra normal de niños de su misma edad; pero también quiere decir que es esperable que el trastorno disminuya a medida que el niño crece.

Los niños hiperactivos presentan también otro tipo de problemas. A menudo, aunque no siempre, son lentos para empezar a hablar y presentan cierto retraso en la comprensión del lenguaje. Esto puede significar un obstáculo para aprender a concentrarse, a organizarse y a llevarse bien con los otros niños. En ocasiones, aunque de nuevo no siempre, son lentos para aprender, y esto puede implicar problemas en el colegio (véase el capítulo cuatro).

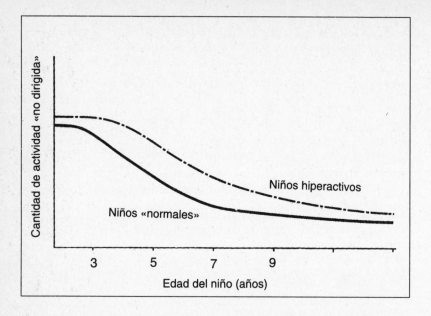

Los niños hiperactivos desarrollan una mayor actividad «no dirigida» que los niños «normales» pero, como muestra este diagrama, los niveles de actividad de todos los niños se controlan a medida que los niños crecen.

Embarazo y nacimiento

La toxemia —más conocida como pre-eclamsia— es un estado que afecta a las mujeres en avanzado estado de gestación provocando una subida de la tensión, hinchazón de los tobillos y excreción de proteínas a través de la orina. El cuidado prenatal garantiza su detección temprana con el fin de proteger el desarrollo del bebé, tanto psicológica como físicamente. Existen evidencias de que la pre-eclampsia puede favorecer que su bebé sea mucho más activo en los primeros años de vida; pero el efecto no es significativo. La mayoría de los embarazos complicados por la pre-eclampsia concluyen con un bebé sano.

Ocasionalmente, algunas embarazadas deben tomar hormonas masculinas durante el embarazo, y esto también puede tener consecuencias para el bebé. En sus primeros años el niño puede ser más inquieto que otros, ¡probablemente el estereotipo del varón explorador y activo! De cualquier modo, nunca se ha descubierto que ésta sea una causa importante para el grave tipo de hiperactividad que implica un problema para el desarrollo.

Es de sobra conocido que el tabaco y el alcohol consumidos durante el embarazo tienen un efecto adverso sobre el futuro desarrollo del niño. El efecto del humo del tabaco en experimentos puede causar que las crías al nacer evidencien un comportamiento hiperactivo y un problema de aprendizaje. Ni el tabaco ni el alcohol influyen en la mayor parte de los casos de hiperactividad infantil, pero las embarazadas que son sensibles los evitan.

Daño cerebral durante el parto

Las complicaciones del parto pueden en ocasiones dañar el cerebro en desarrollo del bebé o privarlo de oxígeno durante un tiempo suficiente como para que se presenten problemas. Una de esas posibles consecuencias son los trastornos de conducta.

Sin embargo, la mayor parte de los niños que sufrieron problemas durante el parto se desarrollan normalmente. Incluso si el cerebro se ha dañado, esto no significa necesariamente que existirán dificultades futuras. El ambiente psicológico que rodea al niño durante toda su infancia parece ser más determinante. Algunos investigadores afirman que cuando el entorno psicológico del niño es adecuado no se ha observado que los niños con un mínimo daño cerebral desarrollen posteriormente un síndrome de hiperactividad. Los problemas reales surgen cuando el daño es grave o cuando crecen en circunstancias adversas.

Del mismo modo que la mayoría de los niños cuyo cerebro ha resultado afectado durante el parto no son hiperactivos, la mayor parte de los niños hiperactivos no han tenido problemas al nacer. No se debería conjeturar que ha sucedido algo sutilmente malo, ya que, como otras «causas» físicas, el daño cerebral temprano es generalmente un pequeño factor entre otros que contribuyen a la aparición de la hiperactividad.

Daño cerebral después del nacimiento

Algunos niños pueden sufrir un daño cerebral más adelante, quizá a consecuencia de un accidente de tráfico. El daño debe ser grave para desencadenar problemas de comportamiento en el futuro; por ejemplo, si el niño permanece inconsciente varios días después del accidente. Es bastante improbable que una herida o un golpe en la cabeza que causen una breve pérdida de conciencia puedan producir un problema psicológico duradero.

Las lesiones graves en la cabeza no provocan directamente la hiperactividad. La tristeza, la ansiedad, la frustración y la agresividad son más probablemente el resultado de dicha lesión que de la hiperactividad. Incluso cuando la causa de la hiperactividad ha sido esa lesión, ésta se puede tratar del mismo modo que cuando no existe una causa física evidente.

Las recientes investigaciones aplican la resonancia magnética para estudiar si existe algo erróneo en la función del cerebro de los niños hiperactivos. En el momento de escribir el libro, los resultados sugieren que algunas partes del cerebro de estos niños funcionan por debajo de lo normal. Determinadas áreas, especialmente los lóbulos frontales, que normalmente intervienen en el autocontrol y la autorregulación no funcionan adecuadamente. Esto no significa que el daño cerebral sea la causa en todos los casos. La función cerebral puede ser alterada por la herencia genética e incluso por medio de la práctica y la experiencia de concentrarse en el autocontrol. Un aspecto importante de esta investigación es que destaca la diferencia entre un niño activo y brillante y un niño hiperactivo cuyo cerebro no funciona a plena actividad.

Plomo

¿Puede el plomo ser una causa importante? Se han hecho muchos programas de televisión y se han publicado muchos artículos sobre los efectos del plomo, y esto ha generado ansiedad y confusión. La idea de una intoxicación invisible por el plomo que contiene el aire que respiramos, el agua que bebemos y los alimentos que consumimos es ciertamente alarmante.

Preocuparse excesivamente por la intoxicación por plomo es innecesario e inútil. El controvertido nivel de exposición al plomo no es uno de los factores principales que intervienen en la hiperactividad. Incluso podría tratarse de un factor menor y, en el momento de escribir este libro, las investigaciones continúan intentando establecer su importancia. Describiré algunos de los argumentos en favor y en contra de la intoxicación por plomo para aclarar un poco el tema.

Intoxicación severa por plomo. Todo el mundo está de acuerdo en que el plomo es una sustancia peligrosa. Si un niño resulta seriamente intoxicado por plomo, puede enfermar de gravedad. En un estado agudo de la enfermedad, el niño puede sufrir ataques y caer en estado inconsciente; incluso después de su recuperación su cerebro puede resultar afectado; por ejemplo, el niño pueden tener dificultades para concentrarse, problemas de aprendizaje y un comportamiento hiperactivo.

Afortunadamente, este tipo de intoxicación severa no es común. Es preciso que suceda algo inusual para producir semejante concentración; por ejemplo, al retirar una pintura muy antigua de las paredes de una casa. Hasta los años 50, la mayor parte de las pinturas empleadas en las casas contenían plomo. Al retirar la pintura se puede concentrar una masiva cantidad de plomo en el polvo que se respira o en los alimentos que se ingieren. Es aconsejable comprobar si podría resultar peligroso retirar la pintura antes de hacerlo.

¿De dónde proviene el plomo? Incluso en un ambiente ordinario no podemos escapar de un cierto contacto con el plomo. Las tuberías de plomo contaminan el agua que fluye a través de ellas. Las zonas que tienen aguas blandas tienden especialmente a contar con altos niveles de plomo, porque el plomo de las tuberías se disuelve con más facilidad debido a las características del agua. Algunos alimentos contienen plomo, en especial las conservas. El polvo que se desprende de la pintura vieja o el que produce la contaminación industrial puede contener plomo.

Algunos procesos industriales tales como las fundiciones, o el reciclaje de las baterías de los automóviles, pueden liberar plomo en el medio ambiente. Los componentes del plomo se agregan a la gasolina para impedir los «golpeteos» del motor y son eliminados a través de los gases de escape. Aunque la cantidad de plomo que tiene la gasolina es pequeña, es absorbida fácilmente por el cuerpo debido a su forma química.

Como el plomo proviene de diversas fuentes, la cantidad de plomo en el organismo de una persona puede variar enormemente. La preocupación no se limita a que esa variación cause graves síntomas de intoxicación, sino también a sus efectos más sutiles. Nadie conoce exactamente cuál es el nivel de plomo que no resulta peligroso.

¿Existen niveles que no son peligrosos? Hasta hace unos ocho años los expertos generalmente afirmaban que mientras el nivel de plomo se mantuviera por debajo de los 40 miligramos por cada 100 mililitros de sangre, no resultaba perjudicial. Desde entonces se han realizado numerosas investigaciones que han revelado que, incluso por debajo de dicho nivel, algunos niños que presentan grandes cantidades de plomo en la sangre o en los dientes son más proclives a tener dificultades para concentrarse y para realizar pruevas psicológicas que los demás niños. No se trata de una relación rigurosa, ya que la mayoría de los niños hiperactivos no presentan grandes niveles de plomo; sin embargo, se han realizado estudios exhaustivos que demuestran la existencia de algún tipo de relación.

Esto no significa que el plomo sea la causa única del problema. Podría ser al revés: cuanto más impulsivo y atolondrado sea un niño, más probable será que inhale o ingiera polvo contaminado. O también puede suceder que los niños que viven en condiciones de pobreza o que estén en contacto con el plomo desarrollen más hiperactividad debido a otros factores derivados de ciertas privaciones. Las investigaciones no han respondido esta pregunta: qué está primero, ¿el problema de comportamiento o el plomo? Se ignora aún en qué medida se debe reducir el contacto de los niños con el plomo.

Reducción de la exposición al plomo

Existen algunos medicamentos que extraen el plomo del cuerpo; por ejemplo, la penicilamina*. Sin embargo, todas las drogas que son efectivas tienen graves efectos secundarios. Algunas personas que tomaron medicamentos han sufrido problemas renales y en otros órganos del cuerpo.

Por este motivo, los medicamentos sólo se recetan a los niños que presentan niveles tan altos de plomo que corren un riesgo inequívoco.

* Producto de la degradación de la penicilina. *(N. del T.)*

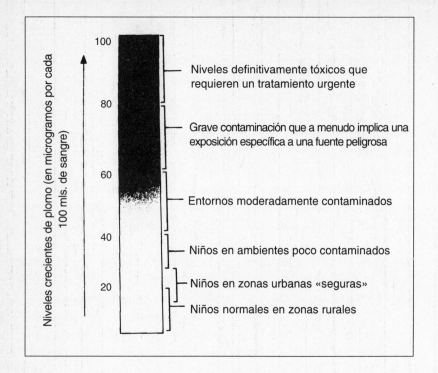

El espectro de la exposición al plomo

Es posible adquirir componentes mucho más seguros a través de representantes comerciales y que se suponen tienen la propiedad de neutralizar la toxicidad del plomo. A menudo incluyen pectina, cinc y aminoácidos. Pero aún es dudoso que estas sustancias sean efectivas para contrarrestar la exposición al plomo.

Yo no recomendaría a los padres que trataran a sus hijos por estos medios. Algunos padres lo hacen, basándose con frecuencia en las estimaciones relativamente fiables de la cantidad de plomo que hay en el aire, pero esto resulta imprudente por dos razones. La primera es que si el nivel de plomo en el organismo no es demasiado alto, tratarlo significa una pérdida de dinero y tiempo y, lo que es más importante, puede distraer la atención de otros problemas de más consideración. En segundo lugar, si el nivel de plomo es peligrosamente elevado, resulta un problema demasiado serio como para tomar medidas parciales. Es preciso que un médico supervise el tratamiento adecuado.

La prevención es la mejor de las curas, y en este caso más seguro. Un paso en el sentido de la previsión ha sido retirar los aditivos de la gasolina derivados del plomo y la adaptación de los automóviles para utilizar gasolina sin plomo; la mayoría de los países han iniciado ya este proceso. Eliminar el plomo de la pintura —aunque existen aún muchas pinturas contaminadas de plomo en los edificios antiguos— y la sustitución de las tuberías de plomo en las zonas de aguas blandas han sido otros avances en la misma dirección. Si usted todavía tiene en su casa tuberías de plomo, debería dejar correr el agua unos minutos antes de beberla o de usarla para cocinar.

¿Qué se debería hacer con respecto la intoxicación por plomo?

- No suponer que la hiperactividad está motivada por el plomo porque, de hecho, no es así. Incluso los grados mínimos, sutiles y controvertidos de exposición al plomo pueden sólo ser responsables de una ínfima cantidad de casos.
- Evite las empresas comerciales no médicas que afirman diagnosticar y tratar la intoxicación por plomo.
- Si sospecha que en la zona donde vive el aire puede estar contaminado —por ejemplo, si vive usted en una zona cuyos edificios son anteriores a los años 50 y en los que existe pintura antigua, o si existe una planta de reciclaje de baterías en las proximidades— se puede solicitar a los departamentos de salud que realicen pruebas de polvo y de pintura para confirmar o disipar sus dudas. Si existe una contaminación por plomo, será preciso someter a los niños a determinadas

pruebas y se deberán tomar medidas de salud pública
para reducirla.

- Esté atento a la posibilidad de que su casa o la escuela
estén próximas a algún tipo de polución de plomo.
- Finalmente, incluso aunque no sea preciso reducir la
exposición al plomo, no suponga que esto necesariamente implica que sus niños se hayan contaminado ni
que el plomo sea la única causa de un problema. La
contribución del plomo a la hiperactividad y a otros
problemas de comportamiento es mínima, y se trata
simplemente de un factor entre otros.

Otras enfermedades físicas

Cuando los niños enferman, tienden a estar irritables,
pueden perder la concentración y portarse mal. Esto puede
suceder con cualquier tipo de enfermedades. Normalmente
ese comportamiento resulta evidente porque la enfermedad
aparece en primer lugar, pero en ocasiones la enfermedad
está latente. Si vuestro hijo, que hasta ahora tenía una conducta normal, se convierte en un niño hiperactivo, algo an-
da mal. Puede estar reaccionando a una situación de estrés
por alguna causa que desconocemos, y es aconsejable consultar con un médico acerca de la posibilidad de que haya
desarrollado alguna enfermedad física.

Algunos estados físicos son crónicos y comienzan tem-
pranamente en la infancia. Los más significativos para la hiperactividad son el deterioro de la audición y de la visión.
Los defectos auditivos graves generalmente resultan obvios,
pero no así los de menor importancia que pueden pasar de-
sapercibidos durante largo tiempo. Las infecciones auditi-
vas recurrentes pueden impedir parcialmente que el niño
escuche durante semanas pero luego la audición vuelve a
ser normal. Si los reconocimientos médicos de rutina se interrumpen en algún momento, el médico puede no detectar
el problema. La falta de una audición adecuada de forma

intermitente puede alterar considerablemente al niño, provocando un cambio en su comportamiento y posiblemente un aumento del nivel de su actividad.

Se debería consultar a un médico si:

- El desarrollo del lenguaje de vuestro hijo es más lento que el de los otros niños.
- Advertís que el niño mira detenidamente los labios cuando se le habla y se fía de los gestos y ademanes.
- No reconoce los sonidos significativos de la casa, como el ruido que se hace al preparar los alimentos.
- Advertís que las cosas han empeorado mucho después de un constipado.

Las jaquecas recurrentes y las reacciones alérgicas son otros ejemplos, aunque menos frecuentes, de condiciones físicas que interrumpen la vida escolar y familiar (véase el capítulo seis). No existe evidencia científica que soporte las teorías que explican todos los casos de hiperactividad en términos de la química alterada del organismo.

En resumen, el daño cerebral puede causar la hiperactividad, pero la mayor parte de los niños hiperactivos no lo padecen. La mayoría de los niños afectados, especialmente los que presentan problemas menores, revelan un extremo del comportamiento normal o algún tipo de desarrollo lento, o ambos. El temperamento y el desarrollo lento son heredados, pero sólo parcialmente: las causas biológicas rara vez son la única causa, e interactúan con factores psicológicos para dar lugar a la hiperactividad.

4

Niños hiperactivos en la escuela

CUANDO LOS NIÑOS COMIENZAN a asistir a la escuela, ya han tenido que adaptarse a diferentes ambientes y acontecimientos. La asistencia a clase implica a la vez nuevas tensiones y oportunidades.

Algunos niños, que ya han sido diagnosticados como hiperactivos, mejoran cuando comienzan a ir al colegio. A menudo se trata de niños que eran muy activos, pero no hiperactivos, en su temprana infancia. Es posible que hayan sido niños brillantes, excitados y energéticos, pero también es probable que hayan sabido organizarse, reconocer cuándo es necesaria una tranquilidad relativa y establecer buenos contactos con los demás niños. Para este tipo de niños, la variedad de actividades que se ofrecen en la escuela y el estímulo que les brinda la vida social con otros niños son bienvenidos. Su energía encuentra canales de expresión constructivos.

En la escuela se resuelve el problema

Michael fue enviado a una clínica psiquiátrica cuando tenía casi cuatro años. Había aprendido muy pronto a caminar, y de tanto en tanto parecía estar continuamente a máxima velocidad: cualquier cosa que hiciera, la hacía intensamente. Cuando se interesaba por un programa de televisión, podía pasar horas mirándolo. Por las noches dormía mucho menos que sus padres y permanecía despierto hasta la una o las dos de la madrugada, cantando a viva voz, jugando y entreteniéndose solo.

Sus travesuras se habían convertido en una leyenda local: había descubierto que podía cerrar la puerta de su casa y dejar a sus padres en la calle, riéndose ante sus esfuerzos por entrar. Justo antes de enviarlo a la clínica, había cogido las llaves del coche de su padre, había salido por la ventana del apartamento que estaba en una planta baja, había puesto en marcha el motor y retirado el freno. Afortunadamente, la pendiente de la calle era suave y el coche se limitó a golpear a otro coche que estaba aparcado más abajo.

Los resultados de la evaluación que le hicieron en la clínica no indicaban problemas de desarrollo. Por el contrario, estaba muy adelantado en lenguaje y tenía gran habilidad para los rompecabezas. Se decidió que asistiera a la escuela, y el niño disfrutó de la nueva situación y se calmó considerablemente en casa. Una prueba de C.I. reveló que tenía una inteligencia «muy superior».

Michael demostró que la escuela puede ser una experiencia nueva que supone un desafío para el niño hiperactivo. Además, la inteligencia de Michael le ayudó a comprender y adaptarse a las demandas de los diferentes mundos en el que vivía.

Otros niños, hayan tenido o no problemas con su familia, encuentran que las nuevas demandas que se agregan a su vida cuando se inician en el mundo escolar son excesivas. La naturaleza exacta de las dificultades es diferente para cada niño.

A algunos el nuevo ambiente les produce confusión y facilita que se distraigan. Se desorganizan y pasan de una cosa a otra; cualquier cambio, por fugaz que sea, les llama la atención, pero no necesariamente se tienen que sentir angustiados por ello. En verdad, pueden sentirse excitados y aparentemente alegres, al menos al principio. Las demás personas son quienes sienten la tensión. Los maestros pueden considerarlos agotadores o destructivos. Los otros niños saben cómo apartarse rápidamente de un niño que se comporta tontamente o que interfiere con lo que ellos desean hacer. Se ha construido un escenario propicio para un drama de aislamiento y resentimiento crecientes.

Muchos niños hiperactivos sienten que lo más duro en la escuela es la falta de sus apoyos habituales; en la mayoría de los casos, sus padres. Para los niños que tienen una relación firme con uno de sus padres o con ambos, gozan de una base sólida a partir de la que pueden explorar el mundo. Sin embargo, esto resulta muy difícil para los niños que han experimentado previamente el rechazo, ellos son quienes presentan una mayor tendencia a angustiarse y enfadarse, y también a las mayores dificultades; pueden llegar a prohibir a su madre que se marche y montar en cólera.

Ambos patrones de conducta —convertirse en una persona desorganizada al entrar en contacto con un nuevo ambiente y angustiarse ante la separación— son hasta cierto punto comunes en muchos niños. Ambos pueden simplemente formar parte de la adaptación a la nueva situación y luego desaparecer a medida que el colegio se va tornando más familiar. No debería ser motivo de preocupación a menos que la reacción del niño sea extrema y persistente. Se puede solucionar este problema introduciendo gradualmente al niño en esta nueva experiencia.

Algunas veces la hiperactividad de un niño puede causarle dificultades para acostumbrarse a la escuela, pero los maestros ignoran la causa de su comportamiento. Es posible que piensen que el niño hace travesuras deliberadamente, o que éstas se deben a que está emocionalmente perturbado. Esto es especialmente probable en países como Inglaterra, donde la hiperactividad no es identificada como un problema psicopedagógico. Si un niño atraviesa grandes problemas, y éstos no se solucionan intentando aumentar su sentimiento de seguridad ni aplicando técnicas de disciplina que sean firmes pero a la vez cordiales, puede ser de gran ayuda consultar la opinión de un experto. Un psicopedagogo puede detectar si el problema de concentración y de autoorganización son el núcleo central del aparente mal comportamiento del niño.

¿Podría ayudar un grupo de juegos?

Las clases de la guardería o los grupos de juegos ayudan a los niños a adaptarse a otros niños y a menudo es muy útil la presencia de alguno de los padres. Desgraciadamente, estas experiencias preescolares son con frecuencia difíciles de conseguir cuando más se necesitan.

Generalmente, cuando los niños son muy conflictivos, se les pide a los padres que los retiren de estos grupos porque incordian a los demás niños o porque «no están preparados para asistir a la clase». Es probable que estén menos preparados que otros niños, pero de esta forma no lograrán adaptarse rápidamente a las mayores expectativas que genera una escuela cuando llegue el momento. Algunos colegios facilitan que los niños puedan permanecer en una clase con niños menores, pero no todos los colegios son tan flexibles.

Si vuestro hijo tiene problemas, puede ser beneficioso que comience a asistir al colegio de forma gradual y que alguno de vosotros esté presente y se comprometa con la clase. Esto no siempre resulta posible, por supuesto; pero en caso de serlo, no deje que la timidez le impida hacerlo. La mayoría de los maestros actuales estarán abiertos a esta posibilidad; y también podrán indicar en qué momento es aconsejable dejar el niño solo durante un rato.

Más adelante será necesario realizar muchos otros pasos en relación con el aprendizaje escolar, el autocontrol y las relaciones de amistad. Si todo esto progresa favorablemente, no es demasiado importante que la hiperactividad persista. Si siguen surgiendo dificultades, a menudo se debe a que el cuadro de hipercinesis que presenta el niño reviste gravedad.

Problemas de atención

Prestar atención. Con el fin de aprender, vuestro hijo debe concentrarse. Los maestros esperan de los niños un periodo de atención que se amplía gradualmente y los estimulan para que aprendan cada vez más información en cada etapa. Finalmente, como sucede en la escuela secundaria, se dedicarán periodos completos a una sola asignatura.

El problema de atención que es una parte central del síndrome hipercinético actúa como un verdadero freno para el progreso. Cuanto más persista, más se retrasará el niño hiperactivo.

¿Qué se puede hacer con los problemas de atención? Lo más sencillo es hacer una lista de soluciones que generalmente *no* son útiles. Regañar al niño exasperadamente —por ejemplo, «¿por qué no lo intentas con más interés?» o «Dios mío, quieres hacer el favor de concentrarte?»— no es de gran ayuda. Los niños hiperactivos no tienen la intención de ser como son, no pueden comprender las razones por las que actúan de esa manera y no pueden cambiar simplemente porque se les ordene hacerlo. Y además, no sirve de nada aislarlos de los ruidos exteriores y de las distracciones ya que, aunque estén separados de los otros niños siguen distrayéndose por cualquier mínima perturbación que surja a su alrededor.

Una estrategia más positiva es simplemente aceptar que existe un problema. Los maestros deben adaptar adecuadamente la enseñanza para estos niños, y esto significa, por ejemplo, que cuando un niño hiperactivo tiene que aprender algo nuevo en clase, es mejor dividir el tema en pequeños pasos para que lo pueda aprender en un breve periodo de tiempo. Esto le da al niño la oportunidad de descansar entre cada paso. Incluso aunque cada espacio de tiempo dure sólo unos pocos segundos, el resultado final será probablemente mejor que si las lecciones fueran prolongadas y continuas.

Otro aspecto de la estrategia de aprendizaje es destacar lo que es verdaderamente importante. Normalmente, el niño progresa desde un punto en el que su atención es desviada por cualquier estímulo que lo haya atraído —por su color, por ser el más brillante o el más ruidoso— hacia la capacidad de centrarse y reconocer los principales aspectos lógicos del problema. Esto se puede lograr indicándole qué es lo más importante del problema.

Enseñanza terapéutica

Una segunda estrategia consiste en concentrarse directamente sobre las ocultas posibilidades de atención del niño. Esto puede requerir un programa de tratamiento del tipo descrito en el capítulo nueve. Para decirlo de un modo más informal, puede tratarse simplemente de realizar pasos graduales para lograr una buena concentración.

Existen diversos aspectos de la atención que es necesario estimular:

- Uno de ellos es la buena voluntad de persistir en una determinada tarea durante periodos establecidos; también puede ser beneficioso ofrecer recompensas sistemáticas cuando el niño es capaz de permanecer atento a las actividades durante periodos más prolongados. En el capítulo siete se describe un esquema de recompensas para que los padres las conozcan y las utilicen. Los maestros siguen a menudo tácticas similares.
- Otro aspecto que se debe estimular es que el niño sea capaz de hacer pausas y reflexionar cuando se le pregunta algo o se le presenta un problema. Las respuestas rápidas e impulsivas son frecuentemente incorrectas y es preciso conseguir que se tome su tiempo y piense antes de contestar.

- Los niños aprenden gradualmente a desarrollar el arte de la atención dividida; es decir, a concentrarse simultáneamente en varias cosas y ser capaz de escoger la más esencial. Algunos maestros especiales pueden estimularlos a conseguir esto enseñándoles a dialogar consigo mismos acerca de lo que están haciendo y de esta forma descubrir qué es lo que deben hacer; por ejemplo, repetir frases como «deténte y piensa» o «¿qué clase de problema es éste?».

No existe contradicción alguna entre estos dos modos de ayudarlos a deshacerse de sus impedimentos: por un lado, reconocer el problema e intentar reflexionar sobre el mismo; y por el otro, la enseñanza terapéutica. El equilibrio es parte de la educación de todos los niños con discapacidades. En este caso en particular, la tarea más ardua puede ser reconocer que existe un impedimento. No ser capaz de prestar atención es un problema sutil que a menudo se enmascara tras una aparente pereza o picardía.

Una concentración débil es un obstáculo incluso cuando el niño se vale por sí mismo. Gran parte de la educación consiste en lo que los alumnos descubren por sí mismos y en que le dan sentido a su propio mundo de una forma activa. La curiosidad es más importante a largo plazo que la buena voluntad para escuchar lo que los adultos les dicen. Superficialmente, parecería que los niños hiperactivos exploran intensamente, pero existe una diferencia fundamental entre esa exploración poco eficiente y la constructiva curiosidad de los niños brillantes que siempre permanecen alerta. La exploración de un niño hipercinético es breve, dispersa y repetitiva, no conduce a ideas ni a la comprobación de ideas sino simplemente a otra ronda de exploración. Ellos no demuestran un interés sostenido, sino que es el maestro quien debe procurarles un estímulo exterior que despierte su interés por medio de una novedad, de un cambio y del humor.

Cuando falta la capacidad para concentrarse, los maestros se enfrentan con un desafío en muchos sentidos. En primer lugar, es preciso reconocerla y luego deberán adaptar la enseñanza al nivel individual de desarrollo del niño.

El lenguaje, el C.I. y los problemas de aprendizaje

La hipercinesis se encuentra en niños de diversos niveles intelectuales. No es un signo de talento pero tampoco de retraso. En general, se la asocia con un bajo nivel de realización de una serie de actividades, entre las que se encuentran las pruebas de C.I. Es probable que existan diversas razones que puedan explicarlo. Un niño que es lento para aprender, por el motivo que sea, también será lento para aprender a concentrarse y a autocontrolarse. Un niño que ha desarrollado una concentración débil se retrasará en el aprendizaje.

Una relación semejante tiene lugar con el desarrollo del lenguaje. Una concentración insuficiente puede retrasar el lenguaje. A algunos niños se les puede ayudar a utilizar el lenguaje interior para controlar su atención, y ésta es la base de un método terapéutico (véase la página 126). Cualquiera que sea la causa del retraso del lenguaje, es posible que contribuya a la hiperactividad.

En resumen, la falta de atención es uno de los factores de riesgo que pueden conducir a problemas de aprendizaje. Un niño con estas características debe ser diagnosticado por un profesional, pues puede necesitar diferentes tipos de ayuda. No se debería suponer que la hiperactividad es el único problema, ni tampoco imaginar que es una respuesta fácil para el fracaso escolar.

Comportamiento antisocial en la escuela

Los niños que se retrasan en el aprendizaje tienden a desarrollar otros problemas. Por ejemplo, casi la mitad de los niños que presentan un retraso severo con la lectura también se comportan de una forma antisocial, que los puede conducir al robo, a la agresión o a la haraganería. Se acostumbran a los fracasos y se convierten en seres descontentos, vulnerables y desesperanzados.

La prevención requiere esfuerzos positivos y un trabajo de equipo entre los profesores y los padres. Si se deteriora la comunicación entre el colegio y la familia, el niño sufre. Un ejemplo de esta necesidad de comunicación es el intento del maestro por mantener la disciplina. Un niño que está fuera de control puede ser ayudado mediante un «sistema de informes sobre el buen comportamiento». Los maestros toman nota de las cosas positivas que el niño ha realizado, ¡siempre hay algunas! Esta forma de comunicación es tan importante para los niños como para los padres. Destaca determinados aspectos que los padres deben estimular y recompensar.

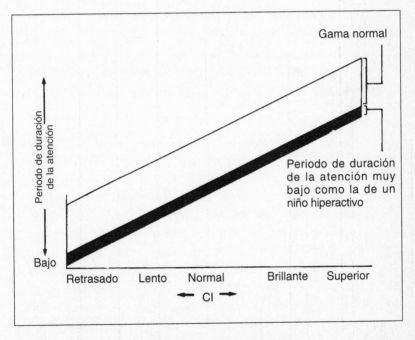

Los niños que han desarrollado la hiperactividad tienen una capacidad de atención breve y les resulta difícil concentrarse. Como resultado pueden presentar retrasos en el aprendizaje.

Un «sistema de informes de buen comportamiento» puesto en práctica

Un buen ejemplo de este enfoque fue adoptado para Harold, cuyas dificultades hemos descrito en el capítulo dos (véase la página 44). El llevaba todos los días una agenda al colegio y dividía cada página por el número de lecciones que había en el día. En cada lección, su maestra debía comprobar tres cosas: si había llegado puntual, si había concluido su tarea (que la maestra le presentaba de un modo más breve) y si había llegado al final de la tarea sin golpear ni dar puntapiés a ninguno de los otros niños: Según los logros conseguidos ese día en el colegio, por las noches podía ver televisión durante más tiempo.

Dos señales garantizaron que el sistema era útil para Harold, a pesar de su crudeza. En primer lugar, cada vez conseguía más logros y, por lo tanto, más recompensas semanales. En segundo lugar, se mostraba más alegre y más esperanzado en relación con el colegio y gracias a la desaparición de los reiterados castigos. Se sentía más motivado y era capaz de sentarse a leer junto a la maestra, consiguiendo una lectura más fluida.

¿Cómo disciplinar a un niños hiperactivo?

La comunicación entre padres y maestros puede interrumpirse debido a que existen diferentes ideas sobre la disciplina, y por esta razón es necesario que estén dispuestos a conversar, respetándose mutuamente. Esto es de sentido común para todo el mundo, y no sólo para quienes padecen de hipercinesia. La hipercinesia es importante en este contexto porque es una de las vías a través de las cuales los niños desembocan en su problema de conducta. Igual que sucede con los desórdenes de aprendizaje (véase la página 74), la hiperactividad es una de las causas posibles entre muchas otras. En algunos países, como por ejemplo, Australia y los

Un informe diario de buen comportamiento

Lunes 14 de septiembre

Periodo	En el lugar correcto al comenzar la lección	Tarea concluida	No golpeó ni dio puntapiés a nadie
9,15	✓ sí	✓ sí	✓ sí
10,30 (después del recreo)	✓ sí		
11,30		✓ sí	
2,00	✓ sí		
3,00	✓ sí		✓ MUY BIEN

Éste ha sido un buen día, Harold

El «sistema de informes de buen comportamiento» adoptado por la maestra de Harold.

EE.UU., una gran proporción de los niños que se comportan mal o agresivamente en clase son considerados hiperactivos y tratados en consecuencia. El peligro es que los maestros pierdan de vista otras causas posibles. En otros países, los maestros no reconocen la importancia de concentrarse en enseñar al niño a controlar su propia impulsividad.

Los amigos

Los niños que presentan una severa hiperactividad a menudo no se adaptan a la compañía de otros niños. Son poco populares y no saben cómo cambiar para que los acepten.

El proceso normal de hacerse amigos es sutil y recípro-co. Un niño que se une a un grupo debe conocer las reglas y los juegos de dicho grupo; sólo después de conocerlos puede tener influencia sobre los demás miembros. De modo simi-lar, dos escolares que comienzan a jugar juntos comparten actividades, hacen turnos, se revelan cosas sobre sí mismos y se descubren mutuamente. Un niño que es impaciente, que es inconformista y tiene pocos sentimientos en relación a otros, generalmente es excluido y aislado. Intenta una y otra vez amoldarse a los otros y no consigue adaptarse a las dificultades que supone un grupo.

Los adultos deben enseñar a los niños hiperactivos cómo controlarse y cómo hacer turnos; y algunos llegan realmen-te a aprenderlo. Puede ser muy doloroso ver cómo los otros niños provocan a vuestro hijo o lo dejan fuera de ciertas ac-tividades. El mejor modo de ayudarle es probablemente es-timularlo a que no se rinda, a que siga jugando con los demás a pesar de los desaires, y a aprender de sus reaccio-nes. Las explicaciones sosegadas y amables sobre cómo se sienten los otros niños son otra forma de estimular el aprendizaje social.

¿Qué clase de colegio elegiría?

No existe una única respuesta a la pregunta de cómo educar a los niños hipercinéticos. Los que están muy afecta-dos suelen tener muchos problemas y, desde su punto de vista, la escuela debe ser flexible y tratarlos según sus nece-sidades. Esto puede brindarlo tanto un colegio grande como uno pequeño, y también una escuela normal o una especial. A menudo el ambiente y el liderazgo son más importantes que ninguna otra cosa.

Muchas de las técnicas pedagógicas se han mencionado anteriormente, pero ninguna de ellas es tan crucial como la elección del colegio. En ocasiones, se recomienda a los pa-dres una escuela especial para que el niño se beneficie de un determinado enfoque educativo, como la modificación de la conducta (véase la página 145) o la enseñanza terapéutica intensiva (por ejemplo, la enseñanza de uno en uno). La decisión a menudo se basa en las ofertas locales y no en el conocimiento teórico de cuál es la institución más adecuada.

Un psicopedagogo (véase la página 136) es generalmente una persona que está en la mejor posición para decidir cuál es el mejor colegio para las necesidades de vuestro hijo. Es tema de debate si un niño hiperactivo debería ser educado en una escuela especial o si debería recibir una educación especial en una escuela normal. En muchos sitios del Reino Unido se está favoreciendo la segunda opción. En los EE.UU. hay enormes diferencias de criterio, pero no existe una decisión general que resulte ideal. Yo acostumbro a recomendar que los niños con una hiperactividad severa deberían contar con una persona especial —quizá un profesor especial— que pasara parte del día en el aula ayudándoles a reconocer lo que tienen que hacer y enseñándoles a que hagan las cosas más lentamente y a ser pacientes con los demás niños. También puede ser posible que dicha persona emplee las técnicas de la terapia conductista (véase la página 145).

La elección de los padres es muy difícil en el Reino Unido porque la idea de la hipercinesis infantil aún no es aceptada en muchos círculos educativos. En el momento de escribir este libro, no existen unidades ni colegios especiales exclusivamente para niños hiperactivos. En realidad, la hipercinesis severa a la que me estoy refiriendo es bastante poco común. Como resultado, veo niños que son efectivamente excluidos de sus propios colegios.

El tipo de escuela elegida dependerá de cuál es el problema principal de cada caso en particular. Para algunos, el aspecto más destacado es la falta de capacidad para concentrarse y aprender. Las escuelas para niños que progresan lentamente con su aprendizaje es el lugar indicado para ellos. Para otros niños, la escolarización se interrumpe a causa de su conducta destructiva; a ellos se les puede sugerir un colegio para niños con problemas de adaptación. Los niños que padecen desórdenes motrices y retraso en el desarrollo del lenguaje pueden quizá favorecerse acudiendo a clases para los discapacitados físicos.

Uno de los principales intereses de este libro es destacar que las complicaciones que acompañan el problema de la hiperactividad son a menudo más importantes que la hiperactividad original. Pero creo que los grupos de padres deberían solicitar más debates, investigaciones y planificación sobre las necesidades educativas de los niños hiperactivos severamente afectados.

5

Las influencias de las relaciones familiares

LAS RELACIONES FAMILIARES no explican completamente los problemas infantiles pero influyen en ellos de una manera significativa. Es preciso que los padres reconozcan los dos lados del problema, es decir, evitar los sentimientos de culpa pero también la irresponsabilidad.

Es muy común que los padres de los niños hiperactivos se culpen a sí mismos, y que también crean que los demás los culpan de lo que le sucede a su hijo. Esto es injusto además de innecesario, y si la culpa les dificulta la labor de ser padres eficientes, pueden dañar al niño. Algunos padres se sitúan en la posición contraria de negar su propio papel en el desarrollo del niño y no se comprometen con la situación.

Existen tantas relaciones familiares como familias. El objetivo de este capítulo es decribir algunos de los modelos más comunes que pueden hacer aún más difícil la vida de un niño hiperactivo.

Los demás miembros de la familia pueden ser importantes de diferentes maneras:

- Pueden ser determinantes para que un niño sea diagnosticado como hiperactivo.
- Pueden reaccionar ante la hiperactividad de forma tal que se acentúen otros problemas.

- Pueden contribuir al desarrollo inicial de la hiperactividad.

Cómo identificar la hiperactividad

Los padres son en general los primeros en darse cuenta de que su hijo es hiperactivo, y esto puede resultar muy útil para el desarrollo del niño. En muchas ocasiones los padres deberán luchar por comunicar a los demás lo que ellos interpretan de la conducta del niño. Es posible que también existan problemas si son los padres quienes tienen que identificar el problema. Frecuentemente esto se lleva a cabo sin los debidos conocimientos y sin una adecuada comprensión del problema. A veces se puede llegar a diagnosticar a un niño normal como si fuera hiperactivo, y esto puede constituir un serio problema si, *a posteriori*, se altera el modo en que se lo trata. Existen diversos factores que pueden contribuir a una mala interpretación de la palabra «hiperactivo», como ya se ha destacado en el capítulo uno. Si el problema es un alto nivel de actividad por sí misma —como indicarían ciertos informes de los medios de comunicación—, entonces un gran número de padres llevarían a sus niños para que los diagnosticaran. Esto sería lo más probable para los padres que no han tenido mucha experiencia con niños, que están aislados o que provienen de una cultura con diferentes patrones de educación para los niños.

Otra causa que puede intervenir en el desarrollo del síndrome de la hiperactividad es que los padres estén estresados. Si, por ejemplo, uno de los padres se siente afligido o desalentado por alguna razón, es bastante común que dicho estado afecte a todo lo que le rodea. El buen humor infantil puede tornarse intolerable, y los mínimos fracasos pueden ser magnificados como si de «un problema» se tratara. En ocasiones el niño de la familia se transforma en el chivo expiatorio y cualquier tipo de tensión familiar se adjudica al niño. La «hiperactividad» puede ser una palabra abusiva y una acusación de anormalidad.

- Dewi es hijo único de padres asiáticos que fueron obligados a salir de su país en el Medio Oriente como refugiados políticos. Perdieron todo lo que tenían, incluso sus profesiones, y se instalaron en Londres en la máxima pobreza. Su padre encontró trabajo de criado y su madre trabajaba como ama de casa sin ningún contacto con otros adultos excepto su marido que regresaba a casa por las noches. Las aspiraciones de esta mujer para su hijo comenzaron a truncarse cuando a los seis años aún mojaba la cama, y a la misma edad se resistía a irse a dormir escapándose de la habitación.

  Ninguno de estos «problemas» eran en realidad anormales, ni siquiera inusuales en los niños británicos de su misma edad, pero para su madre esto significaba una evidencia de la «enfermedad» cerebral que padecía el niño. Consultó con el médico, quien le dijo que no había nada que se pudiera hacer. Llevó al niño a urgencias de la Unidad de Psiquiatría y pidió que también la atendieran a ella diciendo que se mataría si no lo admitían para un tratamiento cerebral. En verdad, incluso después de recibir ella misma un tratamiento y de que Dewi dejara de mojar la cama, no podía aceptar que su hijo fuera un niño «normal» y perectamente adaptado. De cualquier manera, ella está menos aislada y, como consecuencia, se siente menos preocupada por la situación.

La solución es lograr conversar con alguien de confianza acerca de las preocupaciones creadas por la situación de vuestro hijo. Los interlocutores ideales son otras personas que conozcan al niño, en particular los maestros o los líderes del grupo de juegos. De todos modos, vuestro hijo puede ser muy diferente a los ojos de los demás, y es posible que oigáis descripciones que parecerían corresponder a otro niño.

También puede resultar muy útil comparar las notas directamente con otros padres y pedir consejo al pediatra o al ATS que os corresponda. No hagáis ningún caso del retrato artificial de la vida familiar que los publicistas y los periodistas a menudo intentan transmitir, ¡con frecuencia es bastante irreal!

Cómo reaccionar ante la hiperactividad

El ciclo vicioso del conflicto. Cuando los niños son demasiado inquietos, es evidente que terminan por entrar en conflicto con la autoridad de los adultos y la disciplina se puede convertir en un verdadero problema. Es sencillo predicar la calma, el buen humor, la firmeza y la consistencia como recursos para abordar la situación de una manera sensible. En verdad, se trata de un buen el consejo, pero sin embargo poner en práctica estas virtudes puede requerir más paciencia y autoconfianza de lo que se pueda imaginar. Cuando no se logra remediar la situación, comienzan los ciclos viciosos de una creciente hostilidad.

Los primeros pasos tienen lugar cuando uno de los padres reacciona frente a la inquietud de su hijo con un castigo. El niño responde con más ira y una confrontación aún mayor, lo que constituye una especie de castigo para el padre o la madre, y las disputas se hacen cada vez más intensas y frecuentes para finalmente, acabar enredados en un hábito de controlarse mutuamente a través de las amenazas y los castigos (véase el diagrama de la página 86). Ambos están resentidos, y el niño puede incluso sentirse asustado, aunque de cualquier modo no es capaz de detenerse. Los contactos positivos, amables y cariñosos entre ambos son cada vez más escasos, y esta situación malogra la relación entre padre e hijo. El resultado puede ser un ambiente familiar tenso. Los niños comienzan a mostrarse agresivos o antisociales fuera de casa y, como consecuencia, más adelante pueden tener problemas con la ley. En algunos casos extremos se castiga físicamente al niño.

Nadie desea una situación como ésta; sin embargo, son muchos los que caen en ella. Obviamente, no es inevitable. Muchas familias intentan evitarlo y lo logran, y la prevención es mucho mejor que una cura. Esta situación no es exclusiva de la hiperactividad, ya que existen otras circunstancias que pueden desencadenar esta reacción.

La forma de evitar lo antedicho es:

- En primer lugar, es preciso reconocer la situación.
- En segundo lugar, se debe encontrar formas de diluir las situaciones tensas y poner en práctica los contactos cálidos y positivos que son necesarios para mantener el control de la situación.
- En tercer lugar, se debe aceptar la ayuda exterior cuando sea necesario.

Los capítulos siete y ocho se ocupan de estos temas.

Tiranía y «tengo que»

Si el conflicto disminuye debido a que el adulto abandona el control de la situación, se puede poner en marcha un ciclo diferente. Los padres permiten que el niño los tiranice y se encuentran pronunciando frases como ésta: «Tengo que dejarla dormir con nosotros porque si no grita toda la noche»; o «Tengo que vestirlo para ir al colegio mientras alguien lo entretiene, porque si no no terminaría nunca.» Estos no son actos dañinos en sí mismos, pero indican que los padres han abandonado su autoridad.

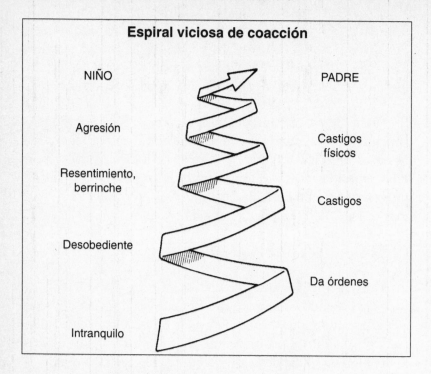

Espiral viciosa de coacción

NIÑO   PADRE

Agresión

Castigos físicos

Resentimiento, berrinche

Castigos

Desobediente

Da órdenes

Intranquilo

Para prevenir este ciclo conflictivo, es preciso reconocer el problema, disolver las situaciones tensas y poner en práctica contactos cálidos y positivos que son necesarios para mantener el control.

En este caso no se le hace al niño ningún favor. El niño no disfruta de tener la situación bajo su control. Por el contrario, los niños a menudo se sienten temerosos o quizá obligados a desafiar los límites de la autoridad de forma aún más violenta. Puede ser un verdadero alivio ser «tratado como un niño» otra vez y disfrutar de reglas claras y coherentes que lo ayudan a afirmarse.

Una de las formas de adoptar este tipo de modelo se debe a que resulta favorable mostrarse indulgente. Por ejemplo, si un niño de seis años que desarrolla una intensa actividad ha destruido los juguetes de su hermano, los padres serán capaces de mantener la paz si no permiten que el hermano proteste y ellos mismos no revelan ninguna reacción negativa. A corto plazo, no existirán más berrinches, ni confrontaciones, y la vida se tornará más fácil.

Pero, por otro lado, a largo plazo quizás las cosas se pongan más difíciles, ya que el niño de seis años probablemente repetirá la acción, pues en cierto sentido se le ha permitido hacerlo ya una vez. En una etapa posterior los mismos padres podrían intentar compensar de algún modo el enfado de otros niños, y de sus familias, con quienes su hijo se ha mostrado agresivo, o permitirle quedarse con objetos que ha robado en alguna tienda y pagar el importe al dependiente.

Muchos niños severamente afectados por la hiperactividad tienen dificultades para descubrir la relación entre sus acciones y las consecuencias de las mismas. Si se los protege con indulgencia de los efectos que producen sus acciones, se los priva de uno de los pasos esenciales del aprendizaje.

Discusiones y desacuerdos entre los padres

Una de las fuentes más comunes de discusiones entre los padres es cómo educar al niño. Como no existe un camino único, y como el padre y la madre aportan diferentes ideas y experiencias a la situación que les toca vivir, la única sorpresa consiste en que la mayoría de las personas abordan correctamente el problema. De cualquier forma, las desavenencias y los desacuerdos se intensifican cuando la tarea es más difícil a causa del temperamento «conflictivo» del niño. Esto no necesariamente debe convertirse en un problema grave. Es posible dialogar sobre las diferencias para resolver una discusión. Los problemas son realmente serios cuando los canales de comunicación, que normalmente son fluidos, están bloqueados.

Cuando los padres no son capaces de resolver la situación, la vida es más dura para el niño. La falta de coherencia logra confundir a cualquiera, pero muy especialmente a los niños hiperactivos que han luchado más intensamente que la mayoría para adaptarse a las sutiles y complicadas reglas que gobiernan la vida social. Un conflicto evidente entre los padres y su rencor puede ser más negativo para el niño, ya que mina la principal base de su seguridad.

Los desacuerdos que no se resuelven tienden a empeorar la situación. Las acciones de uno de los padres fuerzan al otro a una versión más extrema de su postura original. Por ejemplo, una madre puede pensar que su marido es demasiado estricto con el niño, de modo que intenta compensarlo siendo más indulgente con él. El marido entonces opina que ella asume una actitud débil de mimar excesivamente al niño y redobla sus esfuerzos de ser firme y autoritario. Cada uno empuja al otro a apartarse de un término medio, y el conflicto se intensifica o uno de los padres —en general, aunque no necesariamente, el padre— se quita de en medio completamente, abandona su papel y se desentiende de la situación, dando la imagen de que rechaza al niño; una vez más, el conflicto se agudiza.

No tiene sentido alguno culpar al niño. Es posible que haya sido su actitud la que ha disparado esta situación, pero él no es capaz de modificar el modelo de relaciones una vez creado. Corresponde a los adultos dar el primer paso para iniciar los dolorosos procesos del compromiso, los pactos y los buenos deseos. Estos últimos a menudo no son suficientes, y es necesario solicitar una ayuda exterior.

Lo importante es que dicha ayuda debe concentrarse con frecuencia en las relaciones familiares y no únicamente en el niño. Los capítulos siete y ocho se ocupan de algunas de las formas en que se pueden introducir cambios.

¿Es posible que las malas relaciones causen la hiperactividad?

Los modelos que acabo de describir comienzan por una actitud caótica y desasosegada del niño. Se afirmaba que la causa principal residía en el propio desarrollo del niño, pero, como ya he destacado, no siempre es así. Existe una continua controversia científica acerca de la importancia de la naturaleza y la educación, es decir, los efectos de la herencia y de la crianza de los hijos. Es probable que ambas tengan su participación, y tiendan a reforzarse mutuamente.

Los niños deben aprender a organizar su atención y una parte importante de dicho aprendizaje tiene lugar en los primeros cinco años de vida en relación con los adultos que los cuidan. En principio los bebés exploran el mundo principalmente a través de la mirada. Tienden a seguir la mirada de su madre y a mirar lo que ella mira. De esta forma, las madres aprenden cuáles son los objetos que interesan a su bebé y pueden señalarlos. Por lo tanto, teóricamente, cualquier cosa que interrumpa esta relación mutua puede retrasar el proceso por medio del cual el niño aprende a organizar su atención.

Nadie sabe a ciencia cierta si esta posibilidad realmente funciona en la práctica, pero hay algunos signos de que así es en efecto. Por ejemplo, los niños que han crecido en un orfanato tienen más tendencia a comportarse de forma hiperactiva y a concentrarse menos que los demás niños. No han sido desatendidos físicamente, pero no han gozado de la constancia que una madre es capaz de brindar. Obviamente, este ejemplo sólo se aplica a una pequeña minoría de niños hiperactivos, pero pone en evidencia la posibilidad real de que la educación de los niños en una familia que pasa privaciones tiende a crear niños inquietos e inmaduros. Si la vida familiar es muy caótica, y las actividades de los niños son constantemente interrumpidas, entonces quizá los niños no disfruten de la posibilidad de aprender a ser constantes.

Hiperactividad, ¿o un hogar con privaciones?

Matilda fue entregada al cuidado de las autoridades locales cuando tenía tres años. Había sido un bebé rechazado que incluso fue ingresado en un hospital debido a una malnutrición y a malos tratos. Como resultado de todo esto, un juez había decretado que la separaran de sus padres. Su familia adoptiva no consiguió adaptarse a ella, de modo que fue trasladada a un hogar infantil junto con once niños más.

El hogar era un lugar agradable donde se trataba a los niños con mucha amabilidad, pero su desarrollo se retrasó con respecto a los otros niños. Cuando la vi por primera vez, a la edad de ocho años, su lenguaje era muy inmaduro y a menudo se sentía frustrada y chillaba. Se intentó mejorar su lenguaje y su vocabulario estimulándola a que conversara más con las personas que trabajaban en la institución.

Desgraciadamente, esto resultaba muy difícil. La necesidad de ocuparse de todos los niños y de estimularlos no dejaban demasiado tiempo para mantener conversaciones prolongadas y pausadas con los adultos, y, cuando sucedían, frecuentemente eran interrumpidas por niños que articulaban mejor el lenguaje.

La sociedad carga con el peso de la responsabilidad a esos hogares infantiles que a menudo no crean un ambiente parecido a un hogar real para los niños. También la sociedad fracasa con frecuencia al intentar aliviar las cargas de los padres que se sienten agobiados.

Un castigo demasiado estricto

Otro aporte para la hiperactividad proviene en ocasiones de un uso equivocado de los límites o prohibiciones, y se describe en el siguiente ejemplo.

Los padres de Jeffrey intentaron abordar con severidad la falta de disciplina de su hijo de tres años y descubrieron que un castigo eficaz era mantenerlo sentado en silencio en un rincón de la habitación durante quince minutos.

Por desgracia, aunque no debe sorprendernos, el niño emergía finalmente con una energía contenida que resultaba explosiva y que rápidamente lo hacía meterse en problemas otra vez.

Cuando conocí a Jeffrey, a la edad de seis años, sólo era «bueno» cuando se lo castigaba, pero su picardía y su mal comportamiento se debían justamente al castigo. Sus padres habían aprendido una forma diferente de coerción. Cambiaron de actitud y permitieron que Jeffrey disfrutara de un juego intenso y alborotado como recompensa por un juego más sosegado. Su propia recompensa —después de algunas semanas tormentosas— fue que su hijo se convirtió en un niño más contento y más manejable.

En suma, las relaciones familiares pueden tener un fuerte impacto en el desarrollo de un niño hiperactivo, pero, según lo que conocemos de este síndrome, rara vez son la causa fundamental de la hiperactividad. Sin embargo, las principales dificultades que se presentan con un niño hiperactivo se pueden acentuar por otras dificultades no reveladas de la vida familiar. El primer paso para eludir los peligros latentes que se han descrito en este capítulo es reconocer la posibilidad de que el niño sea hiperactivo. El tipo de ayuda que la familia puede ofrecer se describe en detalle en el capítulo siete.

6

Uso y abuso de las dietas

⎯⎯

L A MÁS MÍNIMA ALUSIÓN A LA HIPERACTIVIDAD
conducirá automáticamente a muchas personas a
pensar que existen dietas que pueden resultar efectivas como tratamiento. Muchos de los libros y artículos dirigidos a los padres insisten todavía en que la causa principal
de la hiperactividad es la intolerancia a determinados alimentos, y que el tratamiento adecuado es evitarlos. Muchos
grupos de ayuda para padres de niños hiperactivos mantie-
nen aún que el tratamiento central reside en las dietas que
excluyen ciertos alimentos. Cualquiera que se decida a probar una tal dieta debe abandonar absolutamente ciertos productos (por ejemplo, huevos, trigo y leche de vaca) que se
haya comprobado que son nocivos para un cierto número de
personas. Después de un periodo de exclusión de dichos alimentos, se los vuelve a introducir en la dieta de uno en uno
gradualmente y en un orden específico con la intención de
identificar el producto que es perjudicial para esa persona.

Mi propia experiencia me ha conducido a una conclusión
mixta. Algunos niños hiperactivos parecen realmente beneficiarse al excluir esos alimentos nocivos, que son diferentes
para cada niño. Es aconsejable llevar una agenda en la que se
anote el comportamiento del niño al comer ciertos alimentos
en particular. Sin embargo, sólo una minoría de niños hiperactivos responden positivamente a las dietas. Por eso, es muy
importante no presionar al niño con dietas estrictas si no pa-

recen hacerle bien. Los alimentos son una causa importante para la hiperactividad de algunos niños, sin embargo, no son de gran ayuda para la mayoría de los niños hiperactivos. En este capítulo me ocuparé de los pros y los contras de las dietas un poco más detalladamente que de otras posibles causas, con el fin de que seáis capaces de juzgarlo vosotros mismos.

La dieta Feingold

El tratamiento más conocido es la dieta Feingold, denominada así por el médico que la ideó. Se basa en evitar completamente los alimentos que contengan colorantes artificiales, determinados conservantes y salicilatos (véase más adelante). En la práctica implica abstenerse de una amplia variedad de alimentos manufacturados, congelados y procesados.

Los salicilatos son productos químicos naturales (similares a la aspirina) que se encuentran en muchas frutas; por ejemplo, en las manzanas, plátanos, arándanos, uvas, ciruelas, ciruelas pasas, ruibarbos y fresas. Las etiquetas de los alimentos deberían indicar los conservantes utilizados; con frecuencia es difícil descubrir cuáles son los productos que se deberían evitar.

Los fabricantes añaden también colorantes artificiales a los alimentos y, según la dieta Feingold, todos ellos deben ser eliminados (al menos en principio). La eritrosina, un colorante rojo, y la tartrasina, de color anaranjado, deben ser evitadas debido a otros motivos: la eritrosina permite que se liberen sustancias químicas de las células nerviosas de los animales y pueden provocar cambios en el comportamiento; la tartrasina, que se añade a los zumos de frutas y a muchos otros alimentos, produce reacciones alérgicas. Sin embargo, no existe ninguna razón de peso para concluir que el resto de los colorantes sean más seguros.

Estoy convencido de que nadie conoce los efectos beneficiosos de la dieta Feingold, si es que los tiene. El mismo

Feingold pensaba que algunos niños padecen de un desorden bioquímico hereditario que hace que los colorantes resulten tóxicos para muchas partes del cuerpo. Otra teoría se basa en la conocida capacidad de los salicilatos para bloquear la propia producción de las sustancias denominadas prostaglandinas a partir del material en bruto —los ácidos grasos esenciales— de la dieta (véase más adelante). Las prostaglandinas son sustancias químicas que controlan los procesos de muchas partes del cuerpo, de modo que es bastante probable que un niño afectado tenga muchos problemas físicos. Se ha sugerido que muchas personas que son deficientes en prostaglandinas pueden producirlas ingiriendo grandes cantidades de ácidos grasos en la forma de aceite de prímula. Incluso los aditivos (en particular el glutamato de sodio) son útiles para muchas personas.

Otra teoría es la de que los aditivos alimentarios podrían afectar directamente las funciones cerebrales. Es evidente que la cuestión de cómo actúa la dieta es secundaria a la pregunta de si, efectivamente, da buenos resultados. Si realmente es efectiva, la mayoría de los padres estarán interesados en adoptarla sin esperar a conocer en detalle los efectos que tiene sobre el cerebro.

La teoría de la alergia a los alimentos

Los ecologistas clínicos —médicos y científicos especializados en el medio ambiente— tienen un enfoque diferente con respecto a las dietas. Sugieren que muchas de ellas —naturales y sintéticas— pueden producir alergias. En las reacciones alérgicas, el organismo resulta dañado por sus propias defensas inmunológicas que normalmente lo protegen de las infecciones. Los glóbulos blancos, que tienen como función proteger el cuerpo, por lo general no pueden introducirse en el cerebro, y por este motivo la profesión médica se resiste a aceptar que la alergia sea la causa de problemas psiquiátricos y neurológicos. Pero, una vez más, diremos que el tema de cómo funciona la dieta es secundario a la cuestión de si la dieta tiene un efecto real sobre los niños.

Cualquier alimento puede despertar una reacción alérgica; la leche, los huevos y el trigo son los más comunes. Pero hay una gran cantidad de alergias que están bastante extendidas.

En ocasiones pueden existir señales evidentes de una reacción alérgica, por ejemplo, si vuestro hijo tiene asma o una erupción en la piel. Otro signo bastante corriente es que a veces los alimentos que producen alergias son los que más le apetecen a la persona afectada; así que no os fiéis de los alimentos favoritos. Otra forma de diagnosticar una alergia alimentaria es llevar una dieta de exclusión radical (o dieta oligoantigénica) que consiste en tomar unos pocos alimentos relativamente puros y luego añadir de uno en uno otros alimentos que resulten sospechosos de causar alergia (véase la página 100).

Deficiencias de las dietas

Algunos expertos recomiendan otro tipo de dieta; una en la que se incluyen los alimentos que normalmente no forman parte de la dieta usual de la persona en cuestión. En esta dieta se incluyen diversas vitaminas, especialmente piridoxina y minerales como el cinc. Existe una teoría que sugiere que ingerir grandes dosis de vitaminas («terapia de las megavitaminas») podría solucionar alguna deficiencia ignorada de la química del organismo.

¿Es efectiva la dieta?

Existe una gama enorme de dietas para su hijo según lo que dicen los expertos. La mayor parte de las sugerencias no están basadas en la evidencia, sino en la especulación.

La evidencia más destacada en favor de los tratamientos son los informes sobre casos individuales de niños que eran particularmente difíciles antes de iniciar el tratamiento y que después de haber hecho la dieta eran niños más adaptados. Algunos de los casos de estos niños, a menudo escritos por sus padres, han sido publicados.

Desgraciadamente, esto no es suficiente. Cuando se inicia una dieta, muchas cosas cambian y se las debe tomar en cuenta. Por ejemplo, se crea una atmósfera de esperanza de que el niño comience a modificar su actitud.

Estas sutiles presiones y expectativas pueden influir enormemente en el niño. Esto se ha comprobado en estudios de investigación sobre los tratamientos a base de medicación en los que se sustituye una píldora activa por un placebo que no contiene droga alguna pero que es aparentemente igual que la píldora original. En estos estudios se ha descubierto que el efecto psicológico de estar en tratamiento es lo suficientemente fuerte como para introducir una diferencia sustancial en algunos niños incluso aunque tomen el placebo en vez de la medicación real. Recuerdo una madre que hablaba sobre su hijo que acababa de iniciar el tratamiento: «Es un milagro —es relamente una cura—, es un niño completamente diferente.» De hecho, el niño estaba tomando un placebo. El optimismo y el estímulo son muy positivos para los niños, y el efecto físico real de la dieta debe considerarse por separado, igual que el efecto de las píldoras.

Los científicos han intentado abordar este problema indicando una dieta en la que ni el niño ni los padres sepan exactamente lo que contienen los alimentos. Evidentemente, esto no resulta sencillo; ¡la gente normalmente sabe lo que come! Sin embargo, no es imposible, y la dieta Feingold ha sido evaluada científicamente con gran esmero.

Comprobación de la eficacia de la dieta Feingold

Esta dieta libre de aditivos (véase anteriormente) ha sido comparada con una dieta de «placebos» que contenían aditivos para verificar si realmente era efectiva para los niños hiperactivos, pero los resultados no han sido muy concluyentes. Algunos niños evidenciaron mejorías al realizar la dieta Feingold aunque existe la posibilidad de que las familias supieran que estaban realizando la dieta «activa» y no la de placebos, y naturalmente esto afectaría los resultados. Posteriormente se realizaron otras pruebas más elaboradas, y los investigadores trabajaron intensamente para evitar que se conociera cuál de las dos dietas se aplicaba en cada caso. Cada semana proporcionaban diferentes productos alimenticios a la familia. Los resultados de esta prueba no revelaron ninguna diferencia entre la dieta Feingold y las dietas que incluían aditivos.

Más tarde, los investigadores modificaron su línea de trabajo e intentaron una forma diferente de comprobar la eficacia de la prueba. Seleccionaron niños que estaban haciendo la dieta Feingold, muchos de los cuales habían respondido muy bien a ella, y les ofrecieron galletas o cápsulas, algunas de las cuales contenían colorante artificial y otras que eran placebos. Los investigadores esperaban que los niños volvieran a comportarse hiperactivamente al ingerir los alimentos con colorantes, pero no cuando tomaran los placebos, aunque ignoraran cuál era cuál. Diversos estudios realizados en esta línea ofrecieron una conclusión similar. Los niños que habían respondido positivamente a una dieta sin colorantes artificiales no se mostraron hiperactivos después de consumirlos otra vez. Probablemente su primera respuesta había sido psicológica, y no debida al efecto físico del tratamiento.

Pero éste no es el final de la historia. Una vez estudiada la respuesta individual de los niños, se descubrió que ocasionalmente alguno de los niños se comportaba mucho peor cuando ingería aditivos, aunque la gran mayoría de los niños hiperactivos no experimentaba ningún cambio.

Si ésta fuera la conclusión real, y si fuera posible tratar con éxito a un pequeño número de niños con la dieta Feingold, esto explicaría muchas cosas. Explicaría, por ejemplo, por qué algunos niños se benefician de ella y también por qué muchas familias que vienen a mi clínica y han probado la dieta, se encuentran desalentadas y apenadas por no haber conseguido ningún logro. Esto implica que no se debería propagar el éxito de la dieta basándose en una buena experiencia personal. Son los padres quienes deben decidir si prueban o no la dieta con su hijo, teniendo en cuenta su escasa probabilidad de éxito —aparentemente sólo una pequeña parte de los niños se benefician de esta dieta— y los riesgos que entraña (véase la página 103).

Algunos trabajos científicos recientes se han realizado con el fin de comprobar la posibilidad de que una amplia variedad de alimentos —posiblemente diferentes para cada niño— puede perjudicar el control de la atención y del comportamiento. Las pruebas aún no son concluyentes, pero conozco tres estudios y todos han llegado a la misma conclusión. Un pequeño número de niños se beneficia de una dieta de exclusión y se tornan más hiperactivos cuando se agrega ciertos alimentos. En las pruebas principales los niños son sometidos a una dieta de exclusión, y, si se observan mejorías, se agregan determinados alimentos paulatinamente y uno por vez hasta llegar a una dieta equilibrada que excluye aquellos alimentos que tienen un efecto nocivo sobre el comportamiento. En este punto comienza la prueba científica. Se disimula el alimento, cualquiera que sea éste, y se ofrece al niño de manera tal que ni el investigador, ni la familia, ni el niño sean capaces de decir si lo ha tomado o no en un día determinado. Por ejemplo, si el producto perjudicial es la leche de vaca, algunos días se le dará al niño una leche sustituta como la leche de oveja; otros días se añadirá a esa leche de oveja una pequeña cantidad de leche de vaca, demasiado pequeña como para detectar su presencia, pero suficiente como para alterar el comportamiento. Estos estudios sugieren que, si un niño ha reaccionado mal frente a un determinado alimento, las pruebas objetivas realizadas por personas que desconocen lo que ha comido el niño también concluirán que ese alimento es nocivo para la actividad y la atención de ese niño.

Los alimentos más comunes que pueden alterar en este sentido a los niños son bastante naturales: la harina de trigo, la leche de vaca, los zumos de fruta y los huevos pueden ser sustancias peligrosas. Lo que resulta curioso es que lo que afecta a un niño probablemente no alterará el comportamiento de otro. Es preciso investigar cuáles son las causas particulares para cada niño.

La mejor guía para descubrir qué es lo que está alterando la conducta de vuestro hijo es lo que vosotros observéis. Si lleva una agenda, puede descubrir fácilmente qué alimentos le perjudican. Como alternativa, si existe algún producto por el que el niño sienta especial inclinación, puede que sea el alimento buscado. Si no se observan reacciones frente a ningún alimento en particular, si no existe un producto favorito, o si durante un periodo prolongado se lleva una dieta de exclusión muy estricta (véase el Nivel C en la página 103) y no se observan resultados, no es conveniente insistir con las dietas, ya que evidentemente no mejoran la situación. Además, existe el peligro de deteriorar la nutrición del niño al eliminar tantos alimentos. Las alteraciones severas de la dieta pueden ser peligrosas. Debido a que la mayoría de los niños hiperactivos no se benefician por medio de las dietas, es mejor aceptar las limitaciones de este tipo de tratamiento e intentar otros.

Cafeína. Es una de las sustancias incluidas en una dieta normal que afecta los niveles de actividad especialmente en niños hiperactivos. Esta droga no solamente está presente en el té o en el café; también se añade a muchos refrescos. Un niño que bebe muchos refrescos por día obtiene una dosis suficiente para alterar su comportamiento psicológico. Los efectos de la cafeína son complejos y se ha utilizado como droga estimulante (véase la página 139) para tratar la hiperactividad. Probablemente aumenta la concentración en algunos niños, aunque también puede incrementar el nivel de actividad y producir irritabilidad y nerviosismo. Es aconsejable considerar la cafeína como una de las causas posibles de la hiperactividad si su hijo es «adicto a los refrescos».

Cómo alterar la dieta de su hijo

Como existen tantas formas de alterar la dieta, la gente que se decide por este tratamiento necesita conocer algún tipo de estrategia. Existen diversos niveles de complejidad, pero la mayoría de las personas comenzarán por el más simple y luego decidirán si vale la pena seguir aumentando en la escala.

Nivel A. Es el enfoque más simple y probablemente el más satisfactorio que comienza con vuestras propias observaciones. Si se ha advertido que algunos alimentos alteran el comportamiento del niño, se debe intentar evitarlos. Esto es aún más importante si el niño tienen algún tipo de alergia (como asma o erupciones) que se intensifican por la acción de determinados productos. Los aditivos artificiales, el chocolate, la leche y las bebidas gaseosas son algunos de los más frecuentes. Si esta dieta no resulta eficaz, esto se hará evidente al cabo de unos pocos días.

Las limitaciones de este nivel, que implica el sentido común, son que sólo se puede juzgar el efecto de un alimento a la vez. Es preciso detenerse si después de restringir el uso de los alimentos no se evidencia ningún resultado positivo en la conducta o en el aprendizaje del niño. Es el momento de buscar otro tipo de ayuda, o de pasar al nivel C y solicitar la supervisión de un profesional.

Nivel B. (por ejemplo, la dieta Feingold). El siguiente paso es probablemente el menos satisfactorio. Implica una eliminación «a ciegas» de ciertos alimentos que a menudo son causa de otras alergias infantiles. Puede, sin embargo, valer la pena intentarlo si se está decidido a seguir un tratamiento por medio de una dieta y no existen motivos para pensar que otras posibles causas estén afectando al niño.

Como las quejas más corrientes son acerca de los colorantes alimentarios artificiales y los conservantes, lo más útil sería modificar la dieta Feingold. Esto significa cambiar los hábitos de compra y consumo hasta excluir completamente todos los productos que contengan colorantes sintéticos. Existen de todos modos muchos alimentos que deberían evitarse:

- Todos los helados, los caramelos, los chocolates y los chicles, a menos que estéis seguros de que no contienen aditivos (por ejemplo, porque son caseros).
- La carne procesada, las salchichas, el salami, el beicon, el jamón, el pastel de cerdo, el pollo o el pavo asados fuera de casa y el pescado congelado, a menos que las etiquetas indiquen que no tiene potenciadores de sabor ni colorantes.
- La mayoría de las bebidas gaseosas (excepto el agua mineral y las que no contienen aditivos), todos los zumos de frutas que contengan colorante artificial, todos las bebidas instantáneas para desayunar, las mezclas de bebidas, los yogures de sabores. Los fabricantes deben consignar en las etiquetas los aditivos añadidos, y si no existe una lista detallada de los componentes, es aconsejable evitar el producto.
- Todos los postres preparados e instantáneos, las jaleas, tartas, bizcochos, galletas, mermeladas, conservas y pastas.
- Los cereales comerciales para el desayuno, a menos que se especifique que no contienen aditivos.
- Muchos tipos de pan envasado (incluso el pan de horno puede contener colorantes, de modo que no dudéis en preguntar); margarina, queso procesado o coloreado.
- Patatas fritas con sabor, salsa de tomate (a menos que no contenga aditivos), salsa de soja, vino o vinagre de sidra, variantes, nata salada y mostaza preparada.

Además de esta larga lista de productos, es preciso evitar los colorantes de muchas otras cosas; por ejemplo, los comprimidos de vitaminas, las pastillas para la garganta, los antiácidos, los colutorios para enjuagues bucales, los comprimidos y medicinas coloreadas y la pasta dental de colores. De este modo se deberán preparar la mayoría de las comidas con productos frescos y asar los alimentos en casa. La harina generalmente no contiene aditivos, así como la carne y los vegetales que no se han enumerado anteriormente y no han sido coloreados. Las patatas, las judías, los huevos, la miel, la fruta y los dulces caseros son aceptados en esta dieta. La dieta Feingold original insistía en la exclusión de muchas frutas porque contienen salicilatos naturales; esto prácticamente no marca ninguna diferencia.

Si la dieta «funciona», entonces el siguiente paso es volver a introducir algunos de los productos eliminados, uno por uno. Recordad que los efectos psicológicos de hacer una dieta son fuertes, de modo que puede ocurrir que un determinado cambio favorable no se deba a un alimento en particular.

Para obtener más información sobre los aditivos alimentarios y las dietas de exclusión, véase *The Allergy Diet*, un volumen de esta serie.

Nivel C. El modo más claro y exhaustivo de evaluar una dieta es excluir una gran variedad de alimentos. Recomiendo que esto se realice sólo bajo la supervisión de un especialista en dietética o de su propio médico.

Se comienza por una dieta de exclusión muy restringida, que puede consistir en comer una pequeña cantidad de alimentos; por ejemplo, dos carnes (como cordero o pollo), dos vegetales (como judías y coliflor), dos frutas (como manzana y plátano) y otro alimento (como la patata). Si no se evidencia ningún cambio en el niño, entonces se realiza una dieta más estricta en la que se comen dos carnes diferentes a las anteriores, y así sucesivamente, de manera que los alimentos no se repitan. Si aún no se observan mejorías, entonces la dieta no es adecuada para el niño.

Si una dieta de exclusión resulta efectiva, el paso siguiente es volver a introducir los alimentos, uno por uno. *No* es adecuado hacer esta dieta durante un periodo prolongado, ya que su único objetivo es identificar los productos que causan una reacción. Es importante que un médico o un especialista en dietética supervise el tratamiento porque pueden ayudar a reconocer un efecto producido por alguno de los alimentos. Una vez identificado el alimento en cuestión, se elimina de la dieta.

Es importante recordar que:

- La ayuda profesional es muy aconsejable si se van a introducir cambios importantes en la dieta. En el departamento de pediatría de cualquier hospital existe un especialista en dietética.
- Si se asiste a una clínica privada, es aconsejable solicitar otra opinión en primer lugar.

¿Tienen desventajas las dietas?

Hablando en términos físicos, la dieta Feingold es muy segura. Si se elimina drásticamente toda la fruta, se corre el peligro de no disponer de suficiente vitamina C, lo cual constituye un riesgo, aunque se puede evitar ingiriendo ácido ascórbico. Normalmente, lo más adecuado es llevar una dieta equilibrada.

Las dietas que eliminan una gran variedad de alimentos corrientes pueden dar como resultado una mala nutrición. Un exceso de entusiasmo a la hora de restringir los alimentos puede poner en peligro la salud de vuestro hijo, lo cual es particularmente lamentable, teniendo en cuenta que no existe prueba alguna de que semejantes restricciones sean útiles.

La principal desventaja de estas dietas son psicológicas. La mayoría de los regímenes alimenticios son arduos, suponen mucho tiempo de preparación para la persona que cocina y no son nada populares entre los niños porque la mayoría de los dulces y las comidas que les gustan están prohibidos. Aunque en principio se observa un breve periodo de entusiasmo, éste a largo plazo cede su puesto al descontento y al desaliento. Las relaciones familiares positivas son tan importantes en el tratamiento de la hiperactividad (véase el capítulo cinco) que no vale la pena ponerlas en peligro por nada que no represente un beneficio importante.

Puede ser muy descorazonador cuando un tratamiento fracasa después de que ha sido entusiastamente recomendado y puesto en práctica concienzudamente. Existe entonces la tentación real de abandonar o rechazar otros tratamientos.

Si decidís experimentar con las dietas, os recomiendo que no os obsesionéis con ellas. He conocido niños a quienes se prohibía jugar con otros niños por el temor de que pudiera comer un caramelo o un bollo. En este caso la restricción resultaba más negativa que el propio problema. También deberíais intentar no estar tan pendiente de las dietas hasta el punto de olvidaros de todo lo demás. Los niños hiperactivos generalmente tienen muchas necesidades. Cuanto más grave sea la hiperactividad, menos probable será que los alimentos sean la causa dominante. También es demasiado fácil perder de vista los canales de ayuda educativa o psicológica por detenerse en las interesantes posibilidades de un tratamiento físico.

He intentado destacar que las oportunidades de ayudar a un niño hiperactivo mediante la dieta son muy limitadas, y por esta razón no las recomiendo. Por otro lado, las pruebas científicas a favor o en contra del tratamiento basado en una dieta aún no son definitivas, de modo que la decisión última corresponde a los padres. El conocimiento que éstos tienen del niño es la mejor guía. Si decidís probar una dieta, debo recomendaros algunas cosas:

- MANTENED un sentido de la perspectiva.
- CONSIDERAD otros tipos de ayuda además de las dietas.
- RECORDAD que la dieta no es el último recurso. Si fracasa, existen aún muchos otros medios para ayudar a vuestro hijo y no debéis desesperar.

- **NO** os empeñéis en una dieta demasiado estricta si la más simple no da resultado alguno.
- **NO** prediquéis las ventajas de la dieta; puede resultar desalentador y producir confusión en aquellas familias que no han tenido éxito con ella.

7

Cómo abordar la hiperactividad

L A IDEA GENERAL QUE INTENTO TRANSMITIR es que la hiperactividad no es generalmente una enfermedad sino un modelo de comportamiento conflictivo. No tiene una causa única ni tampoco una única cura. Sin embargo, es posible conseguir algunos logros a través de la relación con vuestro hijo antes de intentar los diferentes tipos de tratamiento que describiré en el capítulo nueve.

Vosotros y vuestro hijo

No existe un método que sea mejor que otro para criar a un niño hiperactivo, como tampoco existe una única forma correcta de educar a los niños en general. Cada familia funciona de una manera diferente, y las reglas universales normalmente no son correctas. Es probable que hayáis recibido muchos consejos sobre cómo disciplinar a vuestros niños, y que entre ellos figuraran frases como: «Evitad los azotes», «Nunca intentéis sobornarlos», «Nunca se debe retroceder ante el chantaje». Es aconsejable que no se aplique ninguna regla de forma servil. La mejor guía es hacer simplemente lo que resulta más efectivo para vosotros y para vuestro hijo, y sobre este tema *vosotros* sois los expertos.

Por lo tanto, las siguientes sugerencias no pretenden convertirse en reglas, no reemplazan la sabiduría de los padres, y tampoco intentan sustituir una ayuda profesional de

acuerdo con las necesidades individuales del niño. Más
bien, se basan en mis observaciones de familias que se han
adaptado bien a la situación y también en las diferencias
que las distinguen de otras familias en las que la conviven-
cia es conflictiva.

Los padres de los niños hiperactivos que progresan son a
menudo los que mejor han sabido superar las dificultades.

- Han encontrado los medios para identificar el problema del niño y estimular su autocontrol.
- Han establecido reglas claras y encuentran tiempo para compartir un montón de tareas con el niño, aunque
  también puede haber conflictos entre ellos.
- Han conseguido autocontrolarse ellos mismos.
- Cuando los padres viven juntos, comparten los mismos puntos de vista.
- Pueden tener diferencias a la hora de aplicar la disciplina, pero, cualquiera que sea ésta, ha sido pensada
  de antemano y están preparados para modificarla si
  no resulta efectiva.

Reconocer los puntos positivos

Ningún niño es totalmente desorganizado. Incluso los
niños más hipercinéticos pasan algún tiempo entretenidos
con un juguete, mirando televisión o haciendo cualquiera de
las cosas que suelen hacer los niños. Puede parecer una desa-
lentadora mínima cantidad de tiempo, pero, sin embargo, la
forma de construir la atención del niño es reconocer los puntos positivos. De alguna forma, esto parece contranatural.

Tomemos el ejemplo de un niño de siete años que se pasa
el día corriendo de un lado a otro, que es un torbellino de actividad durante las comidas y que se escapa de la mesa veinte veces durante la merienda. La reacción «natural» es responder frente a la cantidad de veces que se ha levantado de
la mesa. Sin embargo, también ha vuelto a la mesa veinte veces e incluso ha pasado algunos segundos sentado. Es menos

natural responder a esos escasos segundos de buen compor- tamiento; pero es mucho más efectivo.

Es importante que vuestras acciones se basen en vuestro propio hijo, y no en una imagen idealizada de lo que el niño debería ser. Esto parece evidente, pero es posible que no ocurra de un modo natural. La tentación es comparar al niño con sus hermanos, sus compañeros del colegio o sus amigos, y puede resultar muy contraproducente preocuparse por los aspectos negativos del comportamiento de vuestro hijo. Si se le carga con la responsabilidad de alcanzar el difí- cil y remoto objetivo de ser como todo el mundo, el resulta- do es el desaliento. Un objetivo mucho más adecuado es simplemente que la próxima semana lo haga un poco mejor.

Puede resultar muy complicado aceptar a un niño hiperac- tivo tal como es. Como su comportamiento varía enormemen- te día a día, lo que se siente es que ellos lo podrían hacer mu- cho mejor si lo intentaran. Como consecuencia, es muy fácil sentirse frustrado porque no progresan y enfadarse con ellos. Los investigadores han sugerido que cuanto más críticos son los padres, peor es el progreso psicológico del niño. El hecho de que la condición hipercinética del niño tenga una base mé- dica y no se trate simplemente de travesuras, puede ayudar a aceptar los comportamientos difíciles y a facilitar la conviven- cia. La fluctuación de la conducta es parte del síndrome y no un signo de que su niño se «esté convirtiendo en un niño hiperactivo». No es un problema de locura, y muchos niños se desarrollan muy bien a pesar de su problema.

Una lista de buenas cualidades. Un ejercicio muy útil es hacer una lista que incluya los aspectos más valiosos del niño. Es probable que empecéis por apuntar aquellas cosas en las que el niño parece destacar en relación con los otros, para luego pasar a otras cualidades que podrían ser estimu- ladas. Puede que os encontréis escribiendo un montón de «peros»: se sienta con sus libros pero a menudo se pone a chillar porque no es capaz de hacer nada.» Si es así, volved a escribir la lista evitando las calificaciones.

El objetivo es identificar los aspectos positivos para recompensar al niño por ellos. La lista siguiente corresponde a un niño severamente afectado por la hiperactividad, tiene 10 años de edad y una edad mental de seis. Tenía muchos comportamientos incontrolados, había sido suspendido en varios colegios, los demás niños lo evitaban y le resultaba muy difícil estarse quieto para realizar alguna actividad. Sin embargo, tal como indica la lista, había muchas cosas positivas que decir sobre él.

Las recompensas

Cuando ya se hayan identificado los aspectos positivos del niño que se desea estimular, el siguiente paso es encontrar recompensas apropiadas que se pueden ofrecer el niño, siempre que dé un paso en la dirección correcta. A los niños muy

---

Lista de buenas cualidades

1. Es muy cordial cuando conoce a alguien.

2. A menudo vuelve alegre del colegio y juega tranquilamente con su hermana o con el gato.

3. Es valiente y nunca llora cuando se lastima o alguien lo molesta.

4. No es rencoroso; si hay algún problema, en 10 minutos lo ha olvidado.

Existen muchos aspectos positivos en los niños hiperactivos. Cuando se identifique alguno de ellos, es aconsejable recompensar al niño inmediatamente.

hiperactivos les cuesta trabajo comprender la causa de su comportamiento y el efecto que produce en las demás personas. No son capaces de sacar beneficios de una recompensa sutil o de una que se le ha entregado mucho tiempo después de que el niño haya realizado la acción que merece esa recompensa; diez minutos representan un tiempo prolongado. Por consiguiente, estos niños necesitan una explicación rápida y clara cuando han realizado alguna acción positiva.

Algunos padres, como también algunos maestros, consideran que las recompensas son una idea extraña, e incluso la encuentran ofensiva. La idea en su totalidad puede parecer un soborno. ¿Acaso no pueden los niños aprender a «comportarse» sin que se les pague por ello? Si sólo hacen las cosas porque existe una recompensa, ¿no dejarán de hacerlas en cuanto desaparezca la recompensa? ¿No serán cada vez más dependientes si son controlados por otras personas?

Éstas son objeciones importantes a tener en cuenta, y debo destacar que no estoy a favor de un método de recompensas como respuesta para todos los problemas de educación de los niños. Simplemente afirmo que parecen ser un enfoque muy práctico para algunas de las dificultades que se derivan de la hiperactividad. En este contexto representan una ayuda para el aprendizaje y no un soborno.

El fin del soborno es lograr que las personas hagan algo considerado corrupto. El propósito de la recompensa es estimular el desarrollo. Todos necesitamos algún tipo de reconocimiento por nuestros logros. Los niños hiperactivos no son diferentes, aunque les resulta más difícil encontrar dicho reconocimiento. Su evolución hacia la independencia está normalmente bloqueada por su desorganización más que por su exceso de control.

El poder de la atención. Ofrecer una recompensa no es una cuestión de dar caramelos o dinero de bolsillo. Dichas recompensas serán inútiles si se ofrecen de mala gana, con observaciones sarcásticas o una cara agria. A menudo la mejor recompensa es la forma en que reacciona la otra persona.

La atención de los padres es una necesidad tan esencial para los niños hiperactivos que con frecuencia vale más que cualquier otro gesto. En ocasiones los padres intentan castigar un mal comportamiento (por ejemplo, regañándole), pero encuentran que el supuesto castigo realmente es más perjudicial para el niño. Es posible que esto sea debido a que el castigo normalmente implica una gran parte de la atención del adulto centrada en el niño. Algunos niños harán cualquier cosa por conseguir esa atención, independientemente de que sea superficialmente placentera o displacentera.

Existen niños que buscan el castigo por otras razones. Se imaginan que merecen lo peor o se sienten atemorizados por las inesperadas reacciones de los adultos y prefieren un castigo predecible que los hace sentirse bajo control. Cualquiera que sea la razón, el efecto de la conducta de los adultos puede, de una forma involuntaria, mantener a los niños atrapados en el hábito de ser provocativos.

Uno de los caminos para salir de esta «trampa» es ignorar intencionadamente el mal comportamiento del niño que intenta llamar la atención. Y no quiero decir con esto que se ignore pasivamente una conducta intolerable simulando que no ha pasado nada, ya que esto sería el germen de un nuevo conflicto. Cuando los padres ignoran activamente un comportamiento alborotador, apartarán inmediatamente la atención del problema.

Puede ser necesario salir de la habitación, pedir al niño que se marche a un lugar tranquilo o simplemente dar vuelta a la cabeza y decir: «No voy a dirigirte la palabra durante un minuto.» Ésta puede ser una buena política para retirar la atención del niño cuando al mismo tiempo se emplea regularmente un método de recompensas con el niño. En lenguaje psicológico, esto se denomina «tiempo de descanso» y significa que se ha perdido la oportunidad de ganar una recompensa durante un breve periodo, que normalmente no debería exceder de uno a tres minutos.

Es necesario expresarse simplemente y con claridad. Las «reglas» sociales que el niño debe adquirir son a menudo sutiles y complejas. Es extraño que en una familia o en un aula se actúe en completo silencio o se tolere una actividad general muy agitada. Además, hay ocasiones en las que se espera que el niño esté más tranquilo que de costumbre, y, a medida que crezca, aprenderá a respetar los códigos cada vez más complicados. Normalmente esto se refiere a ciertas situaciones, y supone la comprensión de los sentimientos de las demás personas. Por ejemplo: «Debo estarme quieto después de la merienda cuando está encendido el televisor, pero puedo correr de un lado para otro cuando mi padre vuelve a casa, a menos que tenga jaqueca, entonces deberé estar más tranquilo que nunca.»

Muchos niños hiperactivos desarrollan con lentitud su capacidad de comprender las situaciones sociales. Muchos son inmaduros a la hora de considerar cómo se sienten las otras personas y cómo reaccionan ante su comportamiento.

Cualquiera sea la causa, es posible que necesiten que se les explique la situación como si fueran más pequeños.

En un cierto nivel esto significa mantener las reglas de la forma más simple que sea posible. En otro nivel quiere decir que las recompensas deben ser claras y evidentes, y se deben entregar inmediatamente después de la acción que les ha dado derecho a ellas. Y para terminar, significa que un niño hiperactivo debe recibir mensajes claros y coherentes de los adultos si se supone que deben modelarse apoyándose en ellos.

La mayoría de los adultos pueden parecer incoherentes y enigmáticos para los niños pequeños que no comprenden las razones de los adultos. Para los padres será más sencillo ser consecuente con la disciplina cuando existan reglas explícitas, que también son un buen recurso para disolver las confrontaciones personales.

Las reglas más adecuadas suelen ser lo suficientemente simples como para que su hijo las comprenda, y también sobradamente claras como para que se puedan apuntar (véase la página 118). Se las debe formular de forma positiva para estimular al niño a que colabore en vez de castigarlo por haberlas incumplido. Por ejemplo: «Deja las cerillas» suena más directo y comprensible que «No juegues con fuego cuando estás solo». «Haz tu cama por las mañanas» es más sencillo de comprender que «No dejes que tu madre lo haga todo por ti, no es justo». Cuando las reglas más directas se expresan de una forma impersonal, es menos probable que den lugar a los círculos viciosos de hostilidad y resentimiento que se describen en el capítulo cinco.

Un paso por vez

No tiene mucho sentido planificar un esquema de expectativas positivas y recompensas si vuestro hijo nunca satisface esas expectativas y nunca gana una recompensa. Incluso puede ser pernicioso confirmar las sospechas del niño de que sus esfuerzos están destinados al fracaso.

Antes de comenzar a emplear un sistema de reglas y recompensas es importante comenzar por algo relativamente sencillo que es muy probable que funcione. «Si eres un buen chico durante las vacaciones, te compraremos una bicicleta», no es una frase muy útil, ya que establece una gran recompensa y un enorme y lejano objetivo. Ésta es precisamente la clase de reglas que a un niño hiperactivo le resultan difíciles de comprender. Por contraste, «Ganarás diez puntos por cada una de las tiendas en las que entremos y te estés quietecito a mi lado» supone una recompensa más pequeña pero inmediata y es mucho más práctica.

Naturalmente, vosotros decidiréis cuál es el primer paso que debéis dar. Lo mejor es comenzar en las etapas fáciles que presentan problemas menores y no en las etapas de grandes conflictos que resultan más estresantes. De este modo, tanto los padres como el hijo se sensibilizarán frente al esquema que habrán de organizar, y, una vez que se compruebe su efectividad, se puede extender a las dificultades más esenciales. En principio es preciso concentrarse en un solo problema por vez; más adelante se pueden plantear más objetivos.

Es aconsejable comenzar a aplicar el método sobre aquel comportamiento que se desee estimular, algo que ya ha sucedido ocasionalmente. Los aspectos positivos que ya han sido identificados en una «prueba de buenas cualidades» representan un buen punto para empezar. Para el niño descrito en la página 108, los padres comenzaron por ampliar la cantidad de tiempo en el que el niño jugaba cooperativamente, empezando por tres minutos (medidos con un cronómetro) y alabándolo y sonriéndole al final de cada periodo de juegos. Luego aumentaron el tiempo en 30 segundos por día, y al cabo de unas pocas semanas, el niño jugaba alegremente durante una hora.

El sistema estimuló su fortaleza —al comprender y respetar una regla comprensible durante un breve periodo de tiempo— y evitó su incapacidad para concentrarse de manera que el niño fue capaz de asimilar mentalmente planes complejos durante un periodo prolongado.

Los dos puntos importantes del ejemplo son:

- La inmediatez de la recompensa que era probablemente más importante por sí misma que por la forma que tomara.
- La aproximación paulatina al sistema de reglas. Si sus padres hubieran propuesto inicialmente una hora de juego constructivo, no hubieran logrado nada más que desmoralizarse.

Permitir que el niño se desahogue

Es un error general intentar conseguir una calma permanente en los niños hiperactivos. Es pedir demasiado, y debemos tener en cuenta que una exagerada restricción puede empeorar la situación, como sucedió con el niño descrito en la página 90. Los niños necesitan la oportunidad de desahogarse para liberar la energía bloqueada y aprender a controlar su actividad cuando sea necesario.

A veces es fácil encontrar un parque u otros lugares seguros para que jueguen y se desahoguen. Sin embargo, en ocasiones las situaciones no son favorables; por ejemplo, un pequeño apartamento en una torre complica mucho la vida, y posiblemente no exista solución alguna para un niño severamente afectado que está encerrado en un piso. Es completamente razonable solicitar la ayuda de un profesional para intentar conseguir un nuevo alojamiento, dadas las circunstancias. Si no existe ninguna posibilidad de conseguirlo, quizá sea el factor que decida a la familia a buscar algún tipo de tratamiento para el niño.

Una madre sin pareja dividió inteligentemente con una cuerda su salón en dos partes. Cada media hora y durante 10 minutos se levantaba la barrera divisoria y en ese momento su hijo hiperactivo podía correr desenfrenadamente en una parte del salón mientras ella y los otros niños, la televisión y los objetos que pudieran romperse permanecían en la otra parte del salón. Este método tenía la desventaja de que el resto de los niños consideraban que su hermano era un caprichoso, pero permitía que la familia disfrutara de 20 minutos de vida normal.

En un nivel menos extremo, muchos padres consideran una solución útil estipular breves periodos regulares en los que los niños pueden hacer todo el ruido que deseen en una zona acotada. Si esto significa que una de las habitaciones de la casa esté constantemente desordenada, el precio no será excesivo. Este «jugar a voces» puede ser una recompensa por los periodos en que los niños están tranquilos.

Pensar en términos de desarrollo

Este capítulo intenta ofrecer un enfoque general para saber cómo tratar a un niño hiperactivo y con poca capacidad de atención, y además indicar cómo ponerlo en práctica.

Las ideas pueden o no resultar útiles para su hijo: deben ser bastante generales debido a que todos los niños —y también los padres— son diferentes. Es preciso adaptar mis sugerencias a cada circunstancia en particular.

Una de las consideraciones esenciales para aprender a abordar la hiperactividad es el nivel de desarrollo de vuestro hijo. Esto, evidentemente, significa algo distinto que su edad, ya que los niños pueden evolucionar de diferentes modos. Y además, los distintos aspectos del desarrollo de un niño a menudo no están coordinados entre sí. Un niño de diez años puede tener una habilidad matemática de un niño de doce años, leer al nivel de un niño de su edad y tener una comprensión social propia de los seis años. Los padres son generalmente muy sensibles a la madurez de sus hijos, y sus instintos normalmente resultan una buena guía.

Evidentemente, existen diferentes enfoques para diferentes edades. Debo agregar que esto quiere decir mucho más que proponer objetivos y tener expectativas en el nivel que sea correcto. La forma de aplicar las reglas debe variar según la edad. De este modo, un niño de cuatro años (o un niño mayor pero que se encuentra en ese nivel de desarrollo) necesita que la autoridad paterna esté preservada por el amor y la firmeza.

Los niños de ocho años necesitan más razonamientos para entender las reglas. La justicia es una idea clave en ellos y se ocuparán de autocontrolarse con tal de no rendirse a que otros los controlen. Los niños de doce años gozan de mayor independencia, y por ello ni la autoridad forzada ni las reglas estrictas son adecuadas para ellos, puesto que necesitan un estímulo para llegar a negociar acuerdos, de este modo las reglas dan lugar a pactos, y esto es una cualidad muy útil para otros niños.

Un método de objetivos, reglas y recompensas

Las ideas generales de este capítulo deben ser interpretadas en los términos correctos para cada niño en particular, pero pueden resumirse en el siguiente orden:

Identificar los objetivos positivos. Los objetivos son las metas inmediatas que el niño debe alcanzar. Los objetivos útiles deben ser:

- Claros.
- Explicados en términos positivos.
- Posibles.
- Adecuados al nivel de desarrollo del niño.
- Escasos en número.

Pactar las reglas para obtener las recompensas. Cuando se haya decidido el objetivo, se debe explicar los pasos reales del proceso porque se trata de dar una recompensa por cada uno de los pasos conseguidos. Un sistema apropiado que ya hemos mencionado es aumentar gradualmente el tiempo que se debe emplear en alguna actividad.

Otra forma es tener varios objetivos pequeños, con el propósito global de que el niño pase un tiempo concentrado en una actividad constructiva. Por ejemplo, se puede comenzar por ver televisión con el niño durante un intervalo de tiempo, luego hojear juntos un libro de dibujos durante la misma cantidad de tiempo, y finalmente proceder a la lectura durante un periodo de tiempo igual a los anteriores. Un comportamiento difícil se puede manejar mejor no prestándole demasiada atención; se trata del método de «ignorar activamente» que ya mencionamos en la página 111.

Ofrecer una recompensa por cada paso conseguido del objetivo fijado. Las buenas recompensas deben ser:

- Ofrecidas inmediatamente.
- Agradables; lo que significa que deben ser algo que le guste realmente al niño, y no lo que se supone que le debería gustar.
- Consistente.
- Ofrecidas con cariño; es decir, elogiando al niño y mostrándose afectuoso con él. Verdaderamente, los elogios son en sí mismos una buena recompensa.

Cuando los niños son mayores, la recompensa se puede demorar mediante un método por el que se colocan estrellas en un gráfico, y al conseguir un determinado número de estrellas se obtiene la recompensa. La mayoría de los niños a partir de los cuatro años pueden comprender esta otra forma de conseguir una recompensa.

El diagrama de la página 121 muestra un ejemplo de un gráfico de estrellas que funcionó muy bien para una niña de siete años con una edad mental de cinco. El gráfico consistía en un papel en el que se pegaban estrellas autoadhesivas compradas en una papelería. El gráfico le recordaba lo que se suponía que debía estar haciendo, ya que aún no sabía leer. El objetivo era que se fuera a la cama sin protestar cuando se lo ordenaban, y la recompensa una estrella y un inmediato elogio. Además, podía cambiar una estrella por 15 minutos extra de televisión del día siguiente. Cuando no lograba ganar una estrella, se le recordaba muy tranquilamente y de forma natural que había perdido el tiempo extra de ver la televisión.

La prícipal ventaja de este método es que a menudo resulta eficaz. De cualquier modo, es posible que no lo creáis conveniente para vuestro caso en particular. Quizá os parezca un método demasiado complicado; a lo mejor las cosas ya están más encaminadas; también puede ser que no concuerde con vuestra filosofía para educar a los hijos. En cualquier caso, es posible aplicar de forma general algunos de sus principios. Es probable que no aprobéis la idea de recompensar sistemáticamente al niño, pero deberíais aseguraros de expresarle al niño vuestra aprobación y aceptación en algunas ocasiones, de compartir con él algunas actividades y de tener una idea clara de lo que esperáis que el niño aprenda en la próxima etapa.

Los ejemplos mencionados anteriormente se han centrado en niños hiperactivos, y en el modo de controlar su concentración y su actividad. Son los temas principales de los que pueden surgir otros problemas. De todos modos, esos otros problemas pueden ser los más complicados, y a los padres les puede resultar muy difícil abordarlos.

En el siguiente capítulo se describirán otros problemas relacionados con la hiperactividad: no sólo nos ocuparemos de otros problemas de comportamiento, sino también de las complicaciones de la vida familiar. Lo más alarmante para los padres es la posibilidad de perder el propio autocontrol hasta llegar a la violencia. Aunque estas complicaciones añadidas son algo diferentes, es probable que surjan en los niños hiperactivos. Por consiguiente, la estrategia general de objetivos simples y positivos y de recompensas claras e inmediatas sigue siendo aplicable.

Página opuesta: Es muy sencillo dibujar un gráfico de estrellas para vuestro hijo. En este ejemplo, la niña es recompensada con una estrella y un elogio inmediato, si se va a la cama sin protestar.

GRÁFICO DE IRSE A LA CAMA

	Lunes	Martes	Miércoles	Jueves	Viernes	Sábado	Domingo	Total
Semana 1	★							1
Semana 2						★		2
Semana 3		★			★			2
Semana 4		★	★	★		★		4

Notas: 1 estrella gana 15 minutos extras de televisión después de las siete de la tarde.
Se gana una estrella cuando la niña se va a dormir un minuto después de que se lo hayan ordenado.

8

Cómo abordar
las complicaciones

E XISTEN VARIOS PROBLEMAS DE COMPORTA-
MIENTO que son más corrientes en los niños hiperactivos. De ningún modo son exclusivos de dicho síndrome, pero resulta aconsejable que sean cotejados por los padres de niños hiperactivos. Estas complicaciones persisten
después de la hiperactividad y pueden ser el aspecto más conflictivo de un caso individual.

Trastornos del sueño en niños pequeños

Víctor, a quien ya describimos en el capítulo dos, tenía
cierto tipo de problemas para dormir, pero existen otros muchos. El primer paso para abordar esa dificultad es descubrir
la causa. ¿Representa, por ejemplo, el miedo a la oscuridad o
a la soledad? Muchos de los miedos que experimentan los
niños son desconocidos porque ellos no lo saben expresar
con palabras. ¿Es el miedo lo que se esconde detrás de una
rabieta a la hora de irse a la cama? ¿O acaso las discusiones
se presentan porque el niño está aburrido y necesita dormir
menos que vosotros y se siente molesto por tener que permanecer en su habitación?

No se debería suponer que la falta de sueño es un síntoma de hiperactividad; en realidad, la mayoría de los niños
hiperactivos duermen profundamente. El primer paso para

abordar estos trastornos del sueño es intentar analizar qué es lo que está pasando.

La acción a realizar estará determinada por el objetivo que se persiga. Por ejemplo, puede ser que el niño duerma lo suficiente pero que vosotros estéis estresados porque interrumpe vuestro sueño varias veces por la noche. En este caso el objetivo no sería que el niño durmiera más, sino que permaneciera jugando en su dormitorio, y esto puede ser más fácil de lograr. Pensar demasiado en la «hiperactividad» en este contexto puede apartar su atención del progreso del niño. La palabra «hiperactividad» se refiere a lo que los niños que la padecen tienen en común, y no a lo que es propio de cada uno de ellos, pero las cualidades individuales son normalmente las más importantes, y con respecto a ellas, los expertos son los padres.

Soluciones. La solución más común para las alteraciones del sueño es que los padres lleven al niño a la cama matrimonial, aunque esta actitud, obviamente, tiene muchas desventajas, ya que mantiene separados a los padres y generalmente nadie duerme bien. Otra posible solución es dar al niño un somnífero, aunque esto puede tener el inconveniente de producir malestar al día siguiente y la grave desventaja de que no sea efectivo durante mucho tiempo; puede funcionar durante una cierta etapa, pero a menudo el problema vuelve a presentarse. Y además, como ya he dicho, aumentar la cantidad de horas de sueño con frecuencia no es la mejor idea.

En el caso de Víctor (véase la página 41), las peleas se habían convertido en un tema más importante que la cuestión de si el niño estaba durmiendo lo que necesitaba. En este caso, el problema se redujo considerablemente cuando la paciencia del padre del niño se agotó y decidió hacerse cargo de la disciplina a la hora de dormir, y obligaba inflexiblemente a Víctor a volver a la habitación en silencio. Simultáneamente, ambos padres acordaron que podía dejar la luz encendida y llevaron sus juguetes a la habitación.

Después de un par de semanas, Víctor permanecía jugando alegremente en su dormitorio, y parecía estar aliviado por la decisión de su padre. De hecho, no volvieron a surgir problemas. Todo esto sucedía aproximadamente en el tiempo en que se le había indicado un tratamiento y, por lo tanto, no fue necesario realizar ninguna terapia. La historia demuestra que, en ocasiones, la forma de abordar personalmente una situación puede estar entorpecida por la idea de que un comportamiento difícil debe ser el resultado de una enfermedad.

Lista para comprobar los trastornos del sueño

Vale la pena analizar las diferentes etapas conflictivas a la hora de dormir elaborando una lista.

- **Irse a la cama.** Si cada noche se repiten las discusiones a la hora de retirarse a dormir, es posible aplicar el mismo tipo de principios empleados para solucionar problemas de aprendizaje (véase la página 74). ¿Es posible que la discusión en sí misma sea provechosa debido a la atención y excitación que produce? Si fuera así, irse a la cama a la hora prevista se convierte en un hábito de aprendizaje gradual mediante las recompensas. Las rabietas que surjen a la hora de irse a dormir se pueden tratar del mismo modo que el resto de las rabietas.

- **Relajarse antes de dormir.** Calmarse a hora de ir a dormir implica un cambio importante de ritmo que puede resultar difícil de lograr para un niño inquieto. Si no tienen un ritual nocturno, es aconsejable crearlo. Un modelo regular para las noches —lavarse los dientes, contarle un cuento, arroparlo, por ejemplo— le ayudará a sentirse seguro y será un signo evidente para el cambio de *tempo*. La mayoría de los niños desarrollan sus propios rituales (que pueden ser excesivamente prolongados a menos que los supervise un adulto), pero muchos niños hiperactivos no lo consiguen.

Quedarse solo por las noches es una preocupación para algunos niños, que por este motivo pueden importunar a los adultos o a otros niños para que los acompañen. Si éste fuera el caso, se debe estimular al niño —tal como se hace cuando aparecen otros miedos— firme y tranquilamente para que aprenda a enfrentarse a ese miedo en vez de abandonarse a él. Una vez que se ha comenzado a enseñar al niño a irse a la cama de una forma tranquila, es necesario repetirlo muchas veces para que cada noche resulte más fácil.

- **Permanecer en la cama.** Es razonable esperar que el niño se quede en la cama aunque aun no tenga sueño, y puede resultar de gran ayuda dejar encendida una luz y dejar en la habitación un buen número de juguetes y de actividades que se puedan realizar sosegadamente para que pueda jugar y entretenerse hasta que lo venza el sueño.

- **Despertarse y levantarse de la cama.** Si esto se debe a que el niño tiene pesadillas o terrores nocturnos, se debe considerar la posibilidad de que el niño sufra tensiones que hay que tratar. Si el niño se levanta porque al hacerlo logra alguna situación provechosa —como crear un clima de excitación, una discusión o meterse en la cama de sus padres—, con toda seguridad seguirá haciéndolo. Se debe intentar una vez más que vuelva a su cama tranquilamente, aunque sea necesario repetirlo frecuentemente al principio. Si el niño grita o se enfada, pruebe el tratamiento de «retirar su atención de él» (véase la página 111).

- **Pocas horas de sueño.** Si se trata simplemente de que su hijo no necesita dormir muchas horas, es preciso enseñarle a desarrollar alguna actividad constructiva a solas. Si el resultado es que los padres están agotados, deben intentar hacer turnos o probar ellos mismos un somnífero.

¿Podría deberse al tratamiento? Si su hijo se incluye entre los niños que requieren un tratamiento con estimulantes que se describirá en el capítulo nueve, la falta de sueño puede ser una consecuencia del tratamiento. Puede ser que la dosis sea demasiado alta, y es aconsejable consultarlo con el médico. Otra posibilidad es que se haya recetado un somnífero por la noche y que una dosis errónea haya convertido a su hijo en un «borracho beligerante» con menos posibilidades aún de conciliar el sueño. Una vez más, es preciso consultar al médico.

Rabietas

La mayoría de los niños pequeños tiene rabietas que forman parte de su desarrollo normal. La independencia creciente del niño requiere de ciertos enfrentamientos con la autoridad paterna. Los niños hiperactivos tienen más rabietas que el resto de los niños. Su inquietud los hace enfrentarse con mayor frecuencia e intensidad a los adultos.

El primer paso para tratar a un niño cuyas reacciones son extremas y frecuentes es, tal como con las dificultades para dormir, analizar por qué suceden. A menudo constituyen una especie de lenguaje; están comunicando algo muy importante sobre el niño. Su función en la comunicación puede ser aún más intensa si un retraso en el desarrollo impide al niño comunicar sus necesidades mediante las palabras.

Como los niños hiperactivos sufren con frecuencia retrasos en el desarrollo del lenguaje —y aquellos que no lo padecen presentan retrasos más sutiles en lo que atañe a la comprensión social— es más necesario aún que los adultos intenten expresar los problemas en su lugar. Las enfermedades, el dolor, la inseguridad, el miedo, todos ellos hacen que los niños con dificultades de comunicación ataquen a quienes están más próximos a él.

El segundo paso para manejar los enfados es evitar, cuando sea razonable, las circunstancias que los producen. De cualquier modo, es preciso establecer una diferencia. Puede resultar muy útil advertir cuándo está a punto de surgir una confrontación y evitarla con sentido del humor. Sin embargo, también puede ser perjudicial evitar enfrentamientos necesarios hasta el punto de permitir que se produzcan reacciones exaltadas. En el capítulo cinco se ha destacado la necesidad de mantenerse en un término medio.

El tercer paso para abordar las rabietas es organizar lo que sucede como resultado de esas situaciones. En el capítulo siete se ha esbozado un enfoque general muy práctico. Las acciones inmediatas de los padres obedecen con frecuencia al objetivo de acabar con las rabietas sin que nadie resulte lastimado. Esto implica en ocasiones controlar físicamente a un niño que está exaltado para que sea capaz de recuperar su propio control. Además, las intervenciones de los padres deben lograr que las rabietas sean cada vez más esporádicas y que tiendan a desaparecer, y por esta razón es esencial que el niño no obtenga una recompensa debido a una rabieta. En ocasiones, la recompensa puede haber reforzado sus propios deseos, lo que demuestra que ese deseo en particular no se debería conceder, o al menos no por causa de una rabieta. Algunas veces consiguen de ese modo llamar la atención (véase el capítulo siete). Si éste fuera el caso, entonces la conducta a seguir para templar el carácter del niño será prestarle la mínima atención posible. A menudo se puede «exiliar» a un niño en el cuarto de baño o en otro sitio seguro durante unos minutos o hasta que se calme; una vez que logre serenarse, es aconsejable que se lo elogie y se le ofrezca una recompensa. Y si no es posible «exiliarlo» —debido a que el niño debe ser controlado físicamente por su propia seguridad—, se lo puede sujetar de modo que no quede frente a frente con el adulto que se está haciendo cargo de él.

Las rabietas violentas y destructivas constituyen un problema de consideración con los niños algo mayores. La peor forma de reaccionar ante ellas es con ira y violencia, ya que, a largo plazo, esto despierta más agresividad en el niño. La violencia obstinada debería ser castigada, pero a menudo es más eficaz privarlo de una recompensa. La «ignorancia activa» que ya hemos nombrado en la página 111 se puede extender dejando al niño solo durante un corto periodo de tiempo: hasta que se calme. Esto debería estar absolutamente separado de la recompensa de atención que el niño está obteniendo a través de los gritos y del enfado de sus padres, y completamente diferenciado de los elogios y la cordialidad que recibirá una vez que se haya calmado (además de otras posibles recompensas materiales).

Si se adopta este tipo de acercamiento, no se debería albergar la expectativa de un cambio repentino. Los padres posiblemente descubrirán que cuando se asume la política de no prestarle atención al niño debido a sus rabietas, durante una cierta etapa —que puede ser de días o semanas—, los enfados se harán más frecuentes e intensos con la intención de provocar la reacción deseada. Si los padres son capaces de persistir en su actitud, las rabietas gradualmente tenderán a desaparecer. Cuanto mayor sea el niño, más difícil será que así suceda, y quizá habrá llegado el momento de pensar en algún tipo de tratamiento (véase el capítulo nueve).

- Evitad dejar a vuestro hijo con alguien frente al que él o ella reaccionen violentamente. Intentad no ser violentos, y mantener las imágenes de violencia lejos del alcance del niño.
- Evitad dejar que ganen las rabietas y los enfados. Si el niño logra su propósito a través de ellos, es evidente que no los repetirá durante cierto tiempo, pero más adelante volverán a repetirse.

Un niño dependiente

Los niños inmaduros naturalmente necesitan que los demás hagan cosas por ellos. Las acciones de los padres pueden estimularlos a ser más independientes, o bien alimentar una serie de hábitos regresivos que asemejan los de un bebé.

Marian era una niña ligeramente afectada por una parálisis cerebral (parálisis parcial de las piernas) desde su nacimiento, y como consecuencia era un poco torpe, y su escasa capacidad de atención le había ocasionado un retraso en el aprendizaje y asistía a un colegio especial.

Su madre no tenía pareja y se sentía desalentada porque no podía hacer todo lo que deseaba para ayudar a la niña por falta de dinero. Como compensación, reaccionaba con indulgencia ante su hija en diversas situaciones. En la práctica había vestido a la niña hasta los nueve años, entonces fue cuando se dio cuenta de que ella debería hacerlo sola. Por las mañanas, Marian se sentaba en el borde de la cama y haraganeaba hasta que su madre volvía a entrar en la habitación y la reprendía por lo poco que había adelantado al vestirse. Luego seguía preparando el desayuno, y cuando regresaba descubría que Marian se había puesto sólo el otro calcetín. Le llamaba la atención una vez más, y así se repetía el ciclo. Finalmente, tenía que rendirse porque el tiempo se le echaba encima y ayudaba a la niña a vestirse.

Marian sólo conseguía que le prestara atención debido a su lentitud y a su dependencia. Estaba entrenando a su madre de una manera muy efectiva para que la regañara cada vez más y, por lo tanto, sentirse peor por ello. A la inversa, la atención materna la estaba convirtiendo en una persona cada vez más lenta. El modo de salir de esta situación era empezar a individualizar y elogiar los pequeños logros de la niña. En vez de criticar sus fracasos cuando entraba en la habitación, la madre la alababa cálidamente por los pasos conseguidos, incluso el único calcetín que había logrado ponerse antes de dispersarse otra vez. Marian comenzó a sentirse cada vez más competente y a animarse a hacer más cosas, ganando más independencia. De esta forma es posible para los niños aprender incluso las acciones más complicadas, como atarse los cordones de los zapatos, siempre que se divida la acción en varios pasos y que cada uno de ellos sea recompensado cada vez que el niño o la niña sean capaces de hacerlos.

Un niño que se aburre

A algunos niños hipercinéticos les resulta difícil ocuparse de sí mismos. Juegan superficialmente con muchas cosas, pero no de un modo estable. Unos se divierten con una o dos cosas, pero juegan con ellas de una forma repetitiva e incluso algo ritualista hasta excluir todo lo demás; por ejemplo, jugar durante horas con el agua corriente.

Los niños hipercinéticos necesitan muchos estímulos del mundo externo que despierten su interés. Si un adulto toma la iniciativa y los mantiene ocupados con actividades y juguetes, pueden mostrarse muy contentos mientras duren dichos juegos; pero ningún padre puede pasar todo el día jugando. Las novedades y los cambios de juguetes contribuyen a mantener vivo su interés, y esto puede conseguirse acudiendo a una «biblioteca de juguetes.» Otra novedad puede ser enviar al niño a un grupo de juegos o a una guardería.

En los niveles menos graves de hiperactividad, la televisión y los videojuegos pueden ser un recurso, pero también una «droga». Pasar una moderada cantidad de tiempo frente al televisor puede contribuir a mejorar su concentración, al menos en las etapas tempranas del proceso. Pero, por otro lado, la vulnerabilidad de los niños hiperactivos frente a las reacciones agresivas pone en cuestión que la televisión sea ventajosa, puesto que expone al niño a la violencia televisiva.

Jugar con microordenadores es recomendable en ocasiones y representan una ayuda para el aprendizaje. Aunque resulta bastante complicado para los niños muy afectados, puede ser muy beneficioso para los que padecen una hiperactividad más leve. Algunos niños se revelan como buenos programadores, aunque hayan sufrido «fracasos» en los temas habituales de la escuela. En este caso, pueden disfrutar de éxito y posición a los ojos de los demás.

Accidentes

Una exploración imprudente o atolondrada puede resultar peligrosa para los niños porque pueden dejar caer objetos o caerse ellos mismos con alarmante regularidad. Afortunadamente, la mayor parte de los accidentes no pasan de cortes y magulladuras —aunque pueden requerir una visita al hospital.

Es muy difícil proteger a los niños hiperactivos enseñándoles sobre la seguridad, porque tienden a ser muy impulsivos en todo lo que hacen y no recuerdan lo que han aprendido. Cuando existe un peligro importante —por ejemplo, una carretera cercana—, es conveniente establecer una regla que sea muy simple. Por otro lado, restringir mucho sus movimientos puede ofrecer el riesgo contrario de protegerlos de experiencias que necesitan vivir para aprender. En algunas ocasiones los padres tienen que aceptar un riesgo calculado. De todos modos, los niños hiperactivos casi siempre corren el riesgo de tener accidentes menores que no ponen en peligro su vida. Los accidentes más graves parecen depender más del entorno que rodea al niño que del niño en particular.

Sin embargo, hay riesgos innecesarios de los que sí se puede proteger al niño. Los enchufes de pared deben cubrirse para impedir que los niños introduzcan alambres en ellos; tampoco debería haber enchufes cercanos al cuarto de baño. Si en la casa hay medicamentos, deben estar a una altura que el niño no pueda alcanzar y en recipientes a prueba de niños, que generalmente proporcionan los farmacéuticos. Siempre que sea posible, las medicinas se deberían mantener fuera de la casa; por ejemplo, devolviendo los comprimidos que no se han utilizado a la farmacia. Demasiadas muertes han demostrado que un botiquín colocado a gran altura en el cuarto de baño no constituye ningún obstáculo para un niño alto con la impulsividad de un bebé que comienza a andar.

Palizas y violencia

Muchos padres buscan ayuda porque han llegado a un estado de cólera e impotencia y temen maltratar al niño o hacerle daño. Esa pesadilla ronda a muchos otros padres que no solicitan ayuda, a veces debido al miedo de lo que dicha ayuda implicará. Creen que sentirán vergüenza o temen que les quiten al niño, y por eso no consultan con un profesional. Algunos padres llegan a lastimar a su hijo e incluso (aunque raramente) a matarlo.

Los padres que buscan ayuda en estas circunstancias descubrirán que no sólo no les van a quitar a su hijo sino que, por el contrario, los profesionales comprenden perfectamente cómo se llega a una situación semejante, y su primer objetivo es ayudarles a resolver sus problemas. Ellos pueden encargarse de supervisar las relaciones familiares si creen que existe un riesgo real, y esto puede realmente suponer un alivio. Los profesionales saben que la gran mayoría de los padres que afrontan directamente su problema pueden beneficiarse en gran medida de su ayuda.

Hay diversas formas de ayudar a los padres, según lo que sea necesario en cada caso. En el contexto de este libro, dichas formas pueden incluir reconocer las dificultades del niño y organizar un método de trabajo con la intención de modificarlas. También incluyen otros tipos de asesoramiento con el fin de reforzar el apoyo a la familia.

Existen varias formas de ayuda profesional bajo este tipo de circunstancias. En el Reino Unido, las organizaciones de voluntarios y el departamento local de los servicios sociales, cuyos números para emergencias se encuentra en el directorio telefónico. En Norteamérica y Australia hay una oferta más amplia. Para algunos, sin embargo, estos servicios constituyen el último recurso por el temor de que se les retire la custodia del niño y prefieren consultar al médico de la familia o al consejero sanitario. El siguiente paso probablemente será acudir a la unidad de asesoramiento infantil o al servicio de pediatría del hospital.

He elaborado una lista con los números telefónicos y las direcciones de algunas organizaciones útiles que encontraréis al final del libro.

9

Cómo tratar la hiperactividad

═══════

E N EL CAPÍTULO ANTERIOR he destacado que nadie debería avergonzarse por solicitar una ayuda exterior. La organización de los servicios profesionales es muy diferente en las distintas partes del mundo; los servicios que se ofrecen y las posibilidades de acceder a ellos varía en cada lugar. Por esta razón, no se aplica un tratamiento único.

Las clínicas (véase la página 137) ofrecerán principalmente los tratamientos en los que están más especializadas, por ejemplo, la terapia familiar. Si tuvierais la posibilidad de elegir, quizá optaríais por un centro que empleara diferentes métodos y tipos de ayuda. Por otra parte, es aconsejable recordar que un problema individual puede beneficiarse de distintos tipos de enfoques.

Clínicas especializadas y evaluaciones

Como ninguna disciplina puede ofrecer todos los tipos de evaluaciones y tratamientos que sean necesarios, los servicios psicológicos generalmente se basan en pequeños equipos de profesionales que trabajan conjuntamente. Las funciones de cada profesión se superponen, especialmente al ofrecer una planificación psicológica del tratamiento, pero cada una tiene una especialización.

Los psiquiatras infantiles son médicos especializados que tienen experiencia con adultos y con niños. Se han especializado en los desórdenes psicológicos infantiles, y están capacitados para recetar medicamentos, aunque la mayoría se ocupa más de tratamientos psicoterapéuticos (tratamientos de las relaciones entre el médico y la familia o tratamientos en los que el médico juega con el niño). Los psiquiatras infantiles se ocupan de los problemas infantiles cuando éstos constituyen una evidente enfermedad, aunque no se limitan simplemente a los casos más graves.

Los psicólogos clínicos han estudiado la carrera de psicología y están cualificados para aplicar dicha ciencia a los problemas de salud. Se han especializado en pruebas psicológicas (por ejemplo, el del C.I.) y en psicoterapia o en terapia de la conducta (véase la página 145); pero muchos de ellos extienden su trabajo profesional para incluir diferentes tipos de tratamientos.

Los psicopedagogos se han formado en psicología y en pedagogía y se dedican a aplicar la psicología para los problemas de aprendizaje en la escuela. Su ayuda puede ser muy importante si el niño tiene problemas serios en el colegio, especialmente si necesita recursos educativos especiales como puede ser una clase especial o quizá un colegio especial.

Los asistentes sociales se especializan en el trabajo social, y la parte central de su trabajo consiste en aconsejar a los padres y en ayudar a que los niños reciban una atención adecuada. Según el lugar de trabajo, pueden asumir responsabilidades legales y hacerse cargo de encontrar un sitio adecuado, en el caso de que el niño deba abandonar el hogar familiar y pasar a depender de la custodia de las autoridades locales. También tienen otras funciones como la de asesorar a los padres y al niño, y generalmente actúan más como terapeutas que como funcionarios.

Los pediatras son médicos especializados en niños, especialmente en su salud física. Además, algunos de ellos se especializan en los desórdenes de aprendizaje y de comportamiento y se ocupan de los niños en cualquier etapa.

Los psicoterapeutas se especializan generalmente en un tipo particular de psicoterapia (véase la página 147); pueden también disponer de otras cualificaciones profesionales.

Un equipo de profesionales especializados debe ser capaz de trabajar conjuntamente con otros profesionales que pueden incluir: maestros, profesores especiales, terapeutas del lenguaje, audiólogos (que evalúan los problemas de audición y aconsejan sobre los tratamientos a seguir), pediatras, terapeutas de arte y teatro, terapeutas ocupacionales, enfermeras y muchos otros.

Lo deseable sería que en todos los casos resultara posible acceder a la ayuda de expertos profesionales, aunque desgraciadamente no siempre existe dicha posibilidad. Y, cuando existe, en ocasiones pueden surgir problemas de comunicación entre los servicios de profesionales que generan más problemas que soluciones.

Tratamiento en una clínica

La comunicación dentro de una clínica se consigue mediante reuniones regulares entre los diversos miembros del equipo. En el curso de dichas reuniones se discutirá sobre los diferentes pacientes, y estas conversaciones confidenciales implican que distintos expertos se ocupen de un niño. Es de gran ayuda que los miembros del equipo conozcan y hablen con las familias que están bajo tratamiento.

Es posible que en la clínica se pregunte a los padres si otros profesionales pueden estar presentes en la entrevista inicial. Esto puede querer decir que la entrevista se realizará en una habitación que dispone de un espejo gracias al cual desde otra habitación los profesionales podrán observar la entrevista. Pero también es posible que se solicite filmar un vídeo de la entrevista. No es obligatorio aceptar; sin embargo, generalmente es ventajoso hacerlo: la confidencialidad está garantizada, y así os lo explicarán si solicitáis más información.

Confidencialidad. Es importante hablar del compromiso de confidencialidad, ya que es fundamental para muchas familias; por ejemplo, ¿quién conocerá que acuden a la clínica? En general, los profesionales tienen la obligación de mantener el secreto de todo lo que se hable en la consulta, y esto sólo puede ser omitido en el caso de que esté comprometida la seguridad del niño. De cualquier modo, si se permite que los profesionales especializados consulten a otras personas, tal como los maestros, esto redundará en un beneficio para el niño y sus padres.

Las dificultades potenciales de comunicación también indican que debería existir una persona que esté al corriente de todo lo que ocurre y que tenga la posibilidad de coordinar, o incluso impedir, las intervenciones de los especialistas. En el Reino Unido esa persona sería el médico de la familia; en Norteamérica y Australia sería el pediatra. Con la ayuda de los especialistas, estos profesionales estarían en una buena posición para asesorar a la familia.

Por esta razón, es aconsejable consultar en primer lugar con el médico de la familia o el pediatra que luego os remitirán a los servicios especializados si lo consideran necesario. Muchas clínicas psiquiátricas toman más referencias de maestros y asistentes sociales, y algunas llevan una política de hospital de entradas diarias (*walk-in*).

De cualquier modo, lo mejor es contactar con los servicios de atención primaria (a través de su médico, de su pediatra o de los asistentes sociales). Quizá os digan que no es necesario realizar ningún tratamiento especializado. Si es así, es preciso pensar cuidadosamente en este consejo antes de pasar a otro tipo de acción.

Métodos físicos de tratamiento

El tratamiento basado en medicamentos es probablemente la terapia más poderosa de la que se dispone para tratar la hiperactividad, pero justamente por ser una terapia muy fuerte, mucha gente prefiere ser cautelosa. La describiré más detalladamente que otros métodos. No demasiados centros del Reino Unido utilizan los tratamientos a base de drogas mientras que esto es lo más corriente en Norteamérica. Si os la recomiendan, deberíais formular algunas preguntas:

¿Qué son los tratamientos físicos? Los más comunes implican que se utilice un estimulante como la dextroanfetamina, el metilfenidato o la pemolina. Puede parecer extraño que se emplee un estimulante para un niño hiperactivo, pero el efecto fue descubierto accidentalmente y no es tan absurdo como parece. Estas drogas estimulan partes del cerebro que previamente presentaban alguna disfunción, y su efecto podría contribuir a restablecer una conducta normal. El propósito del tratamiento es que los niños mejoren su autocontrol y se concentren más eficazmente.

De alguna forma, la frase «tratamiento con drogas» conduce a error porque sugiere que el paciente será «drogado» —es decir tranquilizado o calmado—. Los tranquilizantes como el diazepam y el chlordiazepoxide se prescriben para calmar a los adultos perturbados y exaltados. Sin embargo, con frecuencia no son de gran ayuda para los niños hipercinéticos, e incluso algunas veces los desestabilizan más y, como resultado, son aún menos capaces de concentrarse. Por este motivo se utilizan en raras ocasiones. El objetivo de la medicación es restituir la función y no restar absolutamente nada de la capacidad mental del niño.

También se prescriben otros medicamentos además de los estimulantes y tranquilizantes. Algunos antidepresivos como la imipramina resultan útiles. Los «neurolépticos», como el chlorpromazine y el haloperoidol, se recetan ocasionalmente en dosis pequeñas para tratar la hipercinesis.

¿Cómo actúan las drogas? La anfetamina, que es un estimulante, tiene una composición química muy similar a algunas de las sustancias que produce normalmente el cerebro y que forman parte de su funcionamiento normal; en particular la noradrenalina y la dopamina. Ambas sustancias son utilizadas por las células nerviosas del cerebro para transmitir mensajes a otras células nerviosas.

La mayoría de los investigadores piensan que los estimulantes, como la anfetamina, actúan ayudando a las células nerviosas cerebrales a transmitir mensajes a otras células. El efecto global generalmente es permitir que los niños hiperactivos se concentren durante periodos de tiempo más extensos y, al hacerlo, que sean más capaces de controlarse. Como efecto, los niños permanecerán tranquilos en circunstancias que así lo requieran.

La acción de las drogas es la mejor evidencia para pensar que la composición química del cerebro resulta alterada por la hiperactividad. Es posible que en los niños hiperactivos la forma de las moléculas «receptoras» sea anormal en la parte superior de las células nerviosas, a la que se acoplan las sustancias químicas transmisoras (como la noradrenalina y la dopamina). Pero será necesario que las investigaciones progresen antes de que se conozca totalmente el comportamiento de las sustancias químicas.

Algunas veces, sin duda, el tratamiento basado en la medicación no es en absoluto efectivo. Ocasionalmente es contraproducente y puede hacer que un niño sea más irritable o que esté más tenso. Pero, con frecuencia, el resultado es eficaz, especialmente durante las etapas en que los niños han comenzado una educación estructurada, por ejemplo, cuando acuden al colegio. Algunas veces los beneficios inmediatos son espectaculares, y los niños son capaces de desarrollar mejor su potencial. Esto sucede normalmente en niños severamente afectados de hipercinesis, que son los que más dificultades tienen en concentrarse. Por lo tanto, son los maestros quienes observan mayores resultados que los padres.

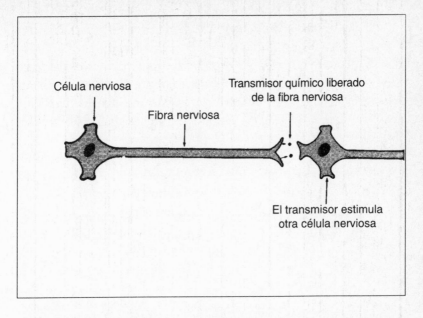

Célula nerviosa

Fibra nerviosa

Transmisor químico liberado de la fibra nerviosa

El transmisor estimula otra célula nerviosa

El dibujo muestra cómo pasa un mensaje a través de un nervio. La mayoría de los investigadores piensan que las drogas estimulantes actúan ayudando a las células nerviosas del cerebro en la transmisión de mensajes a otras células, y, al hacerlo, pueden conseguir que el niño se concentre durante periodos de tiempo más prolongados.

¿Cuáles son los riesgos de los tratamientos físicos?

La idea más preocupante acerca de los tratamientos con estimulantes es el miedo a que los niños se habitúen a ellos, aunque en realidad esto nunca sucede. Lo contrario es mucho más corriente; es decir, el efecto positivo desaparece después de un tiempo, de modo que es preciso dejar de tomar la medicación.

Las anfetaminas son drogas de las que se puede abusar, aunque no es el caso de los niños hiperactivos que las utilizan como parte del tratamiento. No da a los niños un «subidón», ni tampoco se sienten más alegres por el hecho de tomarlas. Por el contrario, algunos niños suelen sentirse infelices y tener ganas de llorar cuando comienzan a tomar el medicamento, y es necesario detener el tratamiento.

No soy capaz de explicar por qué los niños hiperactivos son tan diferentes de los adultos que abusan de la droga. Quizá simplemente produce diferentes efectos en ambos casos, o a lo mejor la explicación resida en la pequeña cantidad de droga que se receta a un niño. Cualquiera que sea la razón, el punto principal es claro. Los niños que toman estimulantes no se convierten en adictos.

De cualquier modo, no se debería exagerar el peligro de las drogas. Si a vuestro hijo le recetan algunas de las drogas mencionadas, es preciso ser muy cauteloso.

- No se debe permitir que caigan en las manos de quienes pudieran venderlas o tomarlas en grandes dosis.
- Todas las drogas se deben guardar bajo llave y deben ser destruidas una vez que el ciclo del tratamiento ha concluido. Esto se aplica aún más a todas las drogas del tipo de las anfetaminas.

Existen otros posibles efectos negativos del tratamiento basado en drogas, como sucede con cualquier otro tratamiento médico. Algunos niños sufren jaquecas, otros no tiene apetito, y hay quienes no logran dormir bien por las noches, en cuyo caso es preciso consultar al médico. No son signos de que la medicación sea perjudicial, pero sí de que la dosis es demasiado alta para el niño. Los individuos difieren mucho entre sí, y las dosis son muy variables, de modo que puede suceder que se cambie varias veces la dosis durante las primeras semanas de tratamiento hasta que se encuentra la que sea óptima. El médico examinará físicamente al niño de forma regular para prevenir la rara posibilidad de que el tratamiento resulte peligroso. Estos controles médicos dependerán de los análisis de sangre para controlar los efectos de la pemolina sobre el funcionamiento del hígado y por medio de electrocardiogramas (ECG) para controlar los efectos de la imipramina sobre el corazón.

El peligro máximo de estos tratamientos es algo más complicado. Se corre el riesgo de que los niños que lo sigan puedan creer que sus éxitos se deben a que la droga es buena, y no a que ellos mismos lo están haciendo bien. No es positivo que los niños lleguen a pensar que no son responsables de sus actos. Sin embargo, este tipo de riesgo debe ser comparado con el de no suministrarles la droga, porque puede ser más perjudicial que el niño crezca sin ser capaz de realizar muchas actividades y con el rechazo que implica la hiperactividad.

La actitud de los padres puede ser sumamente útil si el niño necesita el tratamiento médico. Se debería intentar transmitirle que él o ella tienen un problema que no se debe a que sean perezosos o traviesos; esa medicina es el tipo de apoyo que ayudará al niño a soportar esa especie de discapacidad, y sólo lo ayuda a luchar, pero no gana la batalla sola.

También puede resultar muy provechoso transmitir el mensaje de que el tratamiento con drogas no es algo extravagante ni caprichoso, y que no significa que el niño tenga un daño cerebral o una discapacidad de por vida.

¿Cuánto tiempo dura un tratamiento físico?

No existe ninguna regla acerca de lo que debe durar un tratamiento, ya que esto varía considerablemente de niño a niño. A menudo, una buena respuesta al tratamiento da como resultado que tengan lugar otras modificaciones. Por ejemplo, es posible que la psicoterapia y la modificación de la conducta (véase la página 136) comiencen a evidenciar sus efectos, que la educación empiece a ser más provechosa y que se inicie un nuevo «círculo virtuoso» gracias al cual los niños empiezan a obtener éxitos, a sentirse mejor consigo mismos y a ganar autoconfianza. Cuando esto sucede, se puede dejar la medicación en breve tiempo (quizá después de seis meses), aunque en ocasiones no resulta posible dejarla tan rápidamente. Las drogas no representan una cura, sino un modo de suprimir algunos síntomas conflictivos. Si fuera necesario continuar con ellas, no será por mucho tiempo.

El curso normal del desarrollo infantil conducirá a que evolucionen al menos algunas de las capacidades del niño necesarias para la concentración y el autocontrol. Por consiguiente, es innecesario tratar el problema con drogas. El tratamiento a base de drogas se puede considerar como una forma de prevenir las cicatrices que de otro modo se producirían debido al periodo de inmadurez. Según mi propia experiencia, no es usual que este tratamiento deba continuar más alla de la pubertad.

¿Existe alguna alternativa para el tratamiento a base de drogas?

Aunque las medicinas que acabo de describir son posiblemente la forma más contundente de modificar una falta de atención grave, de ninguna forma son el único medio para combatirla. Probablemente, antes de asistir a la clínica especializada ya se habrán intentado otros medios.

Existen muchos métodos de tratamiento según las zonas y los países de que se trate. Hay quienes consideran que la medicación es un último recurso, y otros creen que constituye la línea principal de tratamiento. Debido a estas diferencias, se deduce que se deben respetar los deseos parentales (y además los del niño). Es esperable que el médico que se incline por las drogas tenga la amabilidad de explicaros los pros y los contras en el caso particular de vuestro hijo. En especial, quizá desearíais preguntar si él o ella consideran que la medicación es esencial para el progreso de la psicoterapia, de la modificación de la conducta o de la educación, o si es pertinente demorar la decisión hasta que se hayan intentado otros métodos.

Además, quizá os gustaría preguntar al médico su punto de vista sobre los tratamientos dietéticos. La aprobación del profesional no es esencial para las dietas más sencillas (véase el capítulo seis), pero deberíais asesoraros por un médico o un especialista en dietética antes de iniciar una dieta estricta que permite ingerir sólo unos pocos alimentos (véase la página 94). Una supervisión profesional puede ser muy útil a la hora de decidir si una determinada dieta puede resultar útil o no —por ejemplo, al quitar o agregar de una en una las sustancias sospechosas de afectar al niño—. Si se receta algún fármaco, el médico debe estar informado de qué otro tipo de tratamiento sigue el niño.

Modificación de la conducta

Resulta menos sencillo describir las terapias psicológicas (basadas en la conversación, el consejo y la persuasión) que modifican la conducta que las terapias físicas, porque naturalmente son más individuales y se deben planificar de una manera diferente para cada niño. Es un psicólogo clínico o un psicopedagogo (véase la página 136) quien se hace cargo normalmente del tratamiento, pero también puede ser que un miembro de otras disciplinas (como los psiquiatras o los asistentes sociales) se haya formado en estas técnicas y sea capaz de supervisar el tratamiento.

Etapas del tratamiento

El tratamiento comenzará probablemente con lo que se denomina un análisis funcional de los problemas. Esto implica someterse a cuestionarios detallados, y tal vez también a la observación de determinados acontecimientos en la escuela o en casa.

El resultado es una descripción completa de los antecedentes del problema de conducta, de la conducta en sí misma y de las consecuencias que se derivan de ella. Este esquema se denomina «A-B-C» (por «antecedentes-conducta-consecuencias»)*, y es una forma elaborada y ampliada del tipo de análisis guiado por el sentido común citado en el capítulo siete.

---

* Las letras corresponden a las palabras inglesas antecedents, behaviour y consequences. (N. de la T.)

El análisis indica el tipo de esquema que se debe utilizar en el tratamiento. Esto también puede ser muy similar a la forma general del sistema de los objetivos y de las recompensas que tratamos en el capítulo siete; lo que marca una diferencia sustancial es que se prodiga en detalles. Probablemente os encontraréis involucrados en tomar medidas sistemáticas de determinados tipos de conductas, con el fin de corroborar si el tratamiento es efectivo para el niño.

La terapia de la conducta puede ser directa o indirecta.

- **Tratamiento directo** significa que será el terapeuta quien tratará a vuestro hijo. Es como una forma sistematizada de la enseñanza personalizada.
- **Tratamiento indirecto** significa que seréis vosotros o los maestros de vuestro hijo quienes se harán cargo de la modificación de la conducta.

Esto puede requerir leer manuales o asistir a grupos y practicar las técnicas con vuestro hijo bajo la supervisión de un profesional.

También es posible que las técnicas de autocontrol resulten provechosas, al menos para los niños que no están gravemente afectados. El tratamiento implica sesiones en las que los niños aprenden a motivarse a sí mismos y se ocupan personalmente de su sistema de recompensas. También pueden aprender a elaborar planes para resolver problemas.

Los niños impulsivos normalmente se adhieren a la primera y más obvia de las conclusiones, que a menudo es incorrecta. En el aprendizaje académico esto quiere decir una respuesta errónea. En el aprendizaje social significa crear problemas o ser impopular. A dichos niños se les enseña a tomarse tiempo para pensar qué tipo de problema es el que intentan resolver. En general, este enfoque es más efectivo con niños que son intelectualmente brillantes.

Tratamiento a través de la comprensión (psicoterapia)

Otro tipo de terapia intenta ayudar a los niños a comprender sus propias dificultades. Es preciso decir que, por sí mismo, no es suficiente para la mayoría de los niños hiperactivos, pero, sin embargo, puede ser útil para solucionar los problemas emocionales que resultan después de pasar años teniendo relaciones conflictivas con las demás personas: La psicoterapia también es efectiva cuando el problema no es la «hiperactividad» sino una agitación temerosa o una tensión debidas a preocupaciones reprimidas.

Si se comienza el tratamiento con sesiones individuales, éstas se adecuarán al nivel de desarrollo del niño. Las sesiones incluyen conversar, jugar y dibujar, pero, en cualquier caso, la relación del niño con el terapeuta es la mejor herramienta del tratamiento. Por ello puede ser necesario que sea confidencial. No os deberíais sentir excluidos si éste fuera el caso, ya que refleja un intento del terapeuta por que el tratamiento sea efectivo.

Algunos profesionales basan su trabajo en sesiones de terapia familiar a las que asisten el niño y los padres además de otros miembros de la familia, es decir hermanos o hermanas. Esta terapia es recomendable si las evaluaciones previas han sugerido que las tensiones familiares generan conflictos. Este método no se emplea como único tratamiento, a menos que se haya observado que el niño no presenta un retraso serio en el desarrollo.

En el capítulo cinco se describe cómo las actitudes y las acciones de otras personas podrían lograr que un niño vulnerable manifestara una conducta antisocial, que se expusiera demasiado a la agresividad o que huyera de ella. La oportunidad de que las tensiones disminuyan mediante conversaciones con un terapeuta puede ser muy valiosa. Dichas conversaciones son una cuestión muy personal. No me prodigaré en detalles, ya que la situación será diferente para cada terapeuta y para cada familia.

En resumen, los servicios profesionales incluyen diferentes enfoques a la hora de sugerir un tratamiento. Algunos, o quizás todos, serán los más relevantes para vuestra situación particular . El problema más complejo es que con toda seguridad el tratamiento será llevado por diferentes especialistas. La forma más extrema en que un equipo de profesionales puede brindar su ayuda sería la admisión en un hospital, un hospital de día o una unidad de tratamiento en régimen de internado. La mayoría de las clínicas intentan tratar a los niños en situaciones de la vida real, es decir, en el entorno familiar o en el colegio.

10

Cómo convivir
con la hiperactividad

═══════

EN OCASIONES LA HIPERACTIVIDAD presenta un cuadro grave, que incluye discapacidades y que parece inmanejable. Es posible que los padres se hayan esmerado, que los especialistas hayan llevado el tratamiento de la mejor forma posible y que el niño haya puesto todo su empeño en superar la situación, aunque, sin embargo, las dificultades persisten.

En esta situación será necesario mantenerse en contacto con los profesionales (véase la página 135) que pueden informaros sobre los tipos de ayuda disponibles. Probablemente estaréis anhelando esa posibilidad, aunque los tratamientos directos no sean de gran ayuda. También es aconsejable relacionarse con otros padres que estén en la misma situación. Una alternativa es buscar grupos de padres de niños mentalmente discapacitados o hiperactivos.

¿Qué deparará el futuro?

El progreso de la hiperactividad depende parcialmente de su gravedad, pero más aún de las complicaciones que puedan surgir. Si la discapacidad principal es un problema de aprendizaje, es importante asegurarse de que el niño recibe la suficiente ayuda educativa y sostener la moral del niño haciendo todo lo posible para cerciorarse de que sus esfuerzos pueden dar como resultado algunos éxitos.

Si la discapacidad principal es una alienación, una agresividad progresiva o una tendencia a la delincuencia, entonces será necesario pensar que la familia entera debe realizar algunos cambios importantes —incluso modificar las relaciones entre sus miembros—, aunque esto pueda resultar difícil y doloroso. Si vuestro hijo tiene problemas con la ley, será necesario plantearse si sois capaces de controlarlo o si quizá debería vivir con otras personas.

La hiperactividad durante el crecimiento

Los problemas graves surgen únicamente en contadas ocasiones de modo que sería útil conocer cómo se desarrollan la mayoría de los niños hiperactivos, en particular aquellos niños con una hiperactividad lo suficientemente grave como para requerir un tratamiento especializado. Para muchos de estos niños, probablemente la mitad de ellos, las dificultades disminuyen en gran medida al aprender nuevos caminos para evitar los obstáculos que se les presentan. No existe un punto mágico en el que así suceda; tampoco está específicamente relacionado con la pubertad; lo que ocurre en la mayoría de los casos es una mejoría gradual con el paso de algunos años.

Para la mitad menos afortunada, la adolescencia es una etapa tormentosa, pero la tormenta no se relaciona generalmente con una enfermedad mental real. La etapa escolar constituye a menudo la más infeliz de toda su vida. Resulta muy difícil conciliar las demandas escolares con la inquietud y la falta de atención. Para dichos niños será mucho más provechoso aplicar un enfoque más libre y sencillo. Quizá no lleguen a aprender todo lo que deberían, pero, por esa misma razón, no se los debería forzar para que no se sientan frustrados ni alienados. Muchos adolescentes con problemas graves se las arreglan para manejarse tan bien como cualquier otra persona, y el hecho de que existan problemas no indica necesariamente un mal resultado.

En la última etapa de la adolescencia y en la temprana vida adulta el resultado es considerablemente mejor, y esto se debe en parte a que en esa época las personas se desarrollan y maduran. En realidad, para algunos de los niños más afectados y que son extremadamente activos, como Simón a quien describimos en el capítulo dos, el nivel de actividad se invierte. Pueden convertirse en personas poco activas, e incluso letárgicas, y puede resultar difícil conseguir y, su atención y además, que sean capaces de mantenerla. En este punto puede ser necesario pensar cuál es la mejor forma de conseguir despertar su interés y motivarlos. En este sentido, un hospital de día puede ser un buen recurso debido a la gran cantidad de actividades y cambios que ofrece.

El mejor de los resultados en la vida adulta es también el resultado de una mayor tolerancia en el mundo de los adultos. Existen trabajos en los que es posible ser el propio jefe y desarrollar un camino propio. La determinación y la independencia de algunas personas que padecen de hiperactividad se convierten en firmeza, especialmente si disponen de unas capacidades básicas y una inteligencia normal. Evidentemente, si presentan otras discapacidades, éstas pueden ser un obstáculo para ser una persona independiente.

Es importante recordar que sólo una minoría de niños hiperactivos —incluso los más afectados— son psiquiátricamente discapacitados en su vida adulta. Vale la pena insistir en ayudarlos.

Sin embargo, las dificultades que surgen al convivir con la hipercinesis no son triviales. La responsabilidad puede ser enorme, y quizá sea necesario compartirla. Un excesivo autosacrificio de los padres a menudo sólo es improductivo. Las madres, en particular, se aíslan de su comunidad, rechazan sus propias responsabilidades y cargan con todo el problema. Ocasionalmente se dan por vencidas debido al esfuerzo que realizan, y luego todos resultan vencidos.

Es preciso asumir riesgos calculados. Por ejemplo, permitir que otras personas cuiden del niño durante cortos periodos de tiempo; incluso si esto implica unas pequeñas va-

caciones o que el niño acuda a un hogar infantil. Los hermanos del niño necesitan atención, y también vuestro matrimonio, por lo tanto, es mejor estar preparados para ceder
un poco el paso y delegar una parte del control del desarrollo del niño a otras personas. Todos los adolescentes necesitan un cierto grado de libertad para cometer sus propios
errores. Esto es más difícil con un adolescente hiperactivo o
discapacitado, pero no es menos necesario.

¿Qué sucede cuando los padres ya no aguantan más la situación?

El miedo de ingresar al niño en un hogar infantil o cualquier otra institución llega a obsesionar a los padres, especialmente cuando los padres comienzan a envejecer y el
niño está severamente discapacitado. En el pasado, la hipercinesis de las personas gravemente retrasadas ha sido una
razón de peso para que sean admitidas en un hospital a largo plazo. No es necesario que se siga esta política, ya que
existen hogares y albergues propicios para atender incluso a
los más afectados por la hiperactividad. En realidad, pueden ser sitios muy estimulantes y seguros capaces paliar los
problemas de comportamiento.

Investigación y progreso

El futuro debería también ofrecer nuevas posibilidades
para el tratamiento y la prevención. Es evidente que nadie
puede predecir si aparecerán adelantos, pero las investigaciones actuales son promisorias. En diversos países se emplean los máximos esfuerzos para agrupar y clasificar los
problemas de las personas hiperactivas. Esto debería conducir a una mejor comprensión del problema, y a menos
discusiones sobre palabras que aún confunden a los padres,
a los niños y a los maestros.

Otra línea importante de investigación es la paciente evaluación de diferentes tipos de tratamiento, uno detrás de otro, ya sea por separado o de forma conjunta. Este tipo de investigación facilita su desarrollo.

La terapia se favorecerá mediante una comprensión más clara y significativa de la naturaleza exacta de las discapacidades que sufre un niño hiperactivo. Sí, su atención es pobre, ¿pero qué significa relamente esto? Sí, tienden a aislarse y a ser impopulares entre los niños, ¿pero qué necesitan saber para evitar que los marginen? Diversos grupos de investigadores intentan describir los problemas lo más exhaustivamente posible y determinar cómo se modifican durante el desarrollo del niño. Un conocimiento más certero de las situaciones o actitudes que ayudan al niño a sobrevivir ileso podría ofrecer claves para ayudar a los niños afectados.

Otras investigaciones podrían ofrecernos claves sobre qué es lo que no funciona bien a nivel cerebral. En la actualidad se están realizando estudios que emplean la resonancia magnética e investigaciones sobre la química del cerebro, se están utilizando electroencefalogramas, y se está estudiando los efectos del daño cerebral en animales y la base genética de la hipercinesis (véase la página 52).

La investigación debe recibir apoyos morales y también financieros. De ninguna manera conocemos aún todas las respuestas, y el mejor modo de generar nuevos y más efectivos tratamientos sería una mejor comprensión de la naturaleza de esta afección.

He intentado basar este libro en los descubrimientos de los estudios científicos. Deliberadamente he simplificado mi exposición hasta el punto de que ciertos lectores desearían desafiar algunas afirmaciones dogmáticas, y otros estudiar más en profundidad determinados aspectos. En este último caso, al final del libro existe una lista de lecturas sugeridas que incluye una amplia selección de literatura científica.

Por ahora, las dificultades individuales de las familias y los niños son más complejas de lo que es posible comprender a través de la mera idea de la hiperactividad. Sin embargo, es importante reconocer su existencia en el momento apropiado, abordarla hasta donde resulte posible y buscar un tratamiento adecuado cuando sea necesario.

Deberíais confiar más en vuestra propia comprensión de vuestro hijo que en la opinión de un médico o psicólogo, y ser un poco escépticos en relación con la literatura «especializada» sobre el tema, ¡incluyendo este libro!

11

Preguntas y respuestas

L AS PREGUNTAS Y RESPUESTAS de esta sección sirven también como un sumario del libro y están basadas en las preguntas que con frecuencia formulan los niños y los padres.

¿Qué es la hiperactividad?

Es un estilo permanente de comportamiento. Los niños afectados son desorganizados y caóticos, no persisten mucho tiempo en la misma actividad como la mayor parte de los niños de su edad y se distraen con mayor facilidad. Por el mismo motivo, son inquietos y tienden a ser impulsivos, de modo que con frecuencia se meten en líos o en situaciones peligrosas.

De todas formas, muchos niños son muy activos e incluso «superactivos» aunque no carecen de concentración ni les resulta difícil autocontrolarse: estos niños no presentan ningún trastorno psicológico. Más aún, algunos niños que no logran prestar atención lo hacen únicamente frente a determinadas personas o en lugares específicos, y a menudo no evidencian ningún problema de desarrollo.

Este libro trata principalmente de niños cuya falta de concentración e inquietud es evidente en todas las situaciones y que, debido a ello, carecen de amigos y tienen problemas con el aprendizaje. Creo que tienen una discapacidad muy sutil en el desarrollo de la atención y del autocontrol que a veces pasa desapercibida. Otros niños presentan también otros tipos más obvios de discapacidad (véase el capítulo uno).

¿La hiperactividad dura toda la vida?

La mayoría de los niños hiperactivos serán capaces de concentrarse más y de calmarse al madurar. Normalmente son capaces de concentrarse suficientemente para fines prácticos cuando terminan el colegio. En este sentido, la afirmación de que «serán capaces de salir de esto» está muy bien fundada, al menos para la mayoría. Por otro lado, puede dejar importantes cicatrices.

Si un niño es impopular, solitario y presenta fracaso escolar, esas complicaciones no necesariamente desaparecerán cuando mejoren los problemas centrales. Los padres y maestros pueden ayudar a luchar contra las complicaciones, y al hacerlo están contribuyendo a un mejor resultado final (véase los capítulos cinco, ocho y diez).

¿Es la hiperactividad una enfermedad física?

No, existen muchas causas. Las enfermedades físicas graves pueden hacer que un niño pierda su capacidad de concentración o que no tenga un buen comportamiento. Lo más importante, y a la vez lo más común, es una sordera no identificada. Sin embargo, la mayoría de los niños hiperactivos no tienen ninguna enfermedad física conocida (véase los capítulos tres y seis).

¿Acaso no es la hiperactividad una consecuencia de un daño cerebral?

Normalmente no lo es. El daño cerebral puede ocasionar que un niño sea hiperactivo o que padezca otros problemas psicológicos, pero la gran mayoría de los niños que sufren de hiperactividad no presentan un daño cerebral. Muchos de ellos revelan algún aspecto inmaduro en el desarrollo psicológico (véase el capítulo tres), y es muy probable que futuras investigaciones descubran que esto se debe a un desarrollo lento de ciertas partes del cerebro. En este caso, las posibles causas son las interacciones entre las características que hereda un niño y el ambiente que lo rodea. La mayor parte de los daños cerebrales producen un débil efecto en el desarrollo de la personalidad.

Los términos «daño cerebral mínimo» y «MBD» pueden resultar confusos. Algunos pediatras y psiquiatras solían emplear esta frase como otra forma de nombrar la hiperactividad o la falta de atención, cualquiera que fuera su causa. Si la frase se utiliza actualmente, probablemente se deberá a que algún médico estima que algo ha afectado el desarrollo normal del cerebro en un niño en particular. Es muy aconsejable informarse acerca del alcance del daño cerebral.

¿Pueden las niñas ser hiperactivas?

Por supuesto que sí, pero los niños tienen tres o cuatro veces más posibilidades de ser diagnosticados como hiperactivos. Las niñas son menos vulnerables, pero si padecen de hiperactividad, necesitan la misma ayuda que los niños.

¿Es la hiperactividad lo mismo que la dislexia?

Una concentración pobre puede revelar un tipo de desarrollo más lento de lo normal. La incapacidad para aprender a leer puede ser una de las consecuencias, pero con frecuencia se debe a otros tipos de desarrollo lento (por ejemplo, el del lenguaje o el del reconocimiento de las formas). Muchos niños hiperactivos tienen más dificultades para aprender a leer que el resto de los niños. La mayoría de los niños con problemas de lectura empiezan a ser cada vez más inquietos y desorganizados a medida que avanza el aprendizaje en la escuela, debido a sus dificultades para adaptarse a la educación escolar. En otras palabras, la hiperactividad puede ser la causa de los problemas en la lectura, y éstos pueden ser el motivo de que el niño esté inquieto y falto de atención, pero ambos problemas están esencialmente separados (véase el capítulo cuatro).

¿Es la hiperactividad culpa de los padres?

En una palabra, no. La mayor parte de los padres se sienten responsables y culpables por las dificultades de su hijo. En la práctica, sin embargo, ningún padre ni ningún niño tienen la culpa de lo que sucede. Algunas veces se forma un círculo vicioso en el que ambos ponen las cosas más difíciles; ambos son víctimas. Pero, en general, los padres son capaces de colaborar con el desarrollo de su hijo. Los capítulos siete y ocho describen algunos pasos prácticos de autoayuda que no necesariamente requieren una supervisión profesional. Sin embargo, cuando la situación resulte insoportable se debe consultar con un especialista (véase el capítulo nueve).

¿Son las dietas una respuesta posible?

Algunos niños pueden beneficiarse evitando los alimentos que consumen normalmente y que parecen afectarlos; por otro lado, los estudios científicos (y mi propia experiencia) sugieren que sólo una minoría sacan provecho de las dietas. Lo más común es que una dieta sea útil durante unos días o semanas; y esto se debe frecuentemente al impulso psicológico que supone iniciar un tratamiento.

Yo no acostumbro aconsejar a las familias que lleven un tratamiento a base de dietas pero parece razonable que los padres puedan decidirlo por sí mismos siempre que estén advertidos de que a lo mejor la dieta no es efectiva. Y lo que es más importante, no deberían sentirse frustrados si así sucede ya que esto es en cierta medida esperable, y porque además existen muchos otros tratamientos. Las dietas resultan beneficiosas para aquellos niños que han sido diagnosticados con algún tipo de alergia a los alimentos (como erupciones en la piel) o que sufren jaquecas relacionadas con algunos alimentos (véase el capítulo seis).

¿Deben los niños hiperactivos tomar drogas?

La psicoterapia y la terapia de la modificación de la conducta son cada vez más populares, en tanto que los tratamientos a base de drogas se emplean cada vez menos (véase el capítulo nueve). Algunos de estos tratamientos con fármacos, especialmente estimulantes, pueden resultar muy efectivos para los niños más afectados con el fin de que respondan a la educación o a un tratamiento específico. Es mejor pensar en esos tratamiento en términos de «medicinas» en vez de «drogas».

El propósito de los fármacos no es tranquilizar ni restar algo de la conducta del niño, ni tampoco alegrarlo artificialmente. Su función es ayudar al niño a concentrarse en una actividad y a sostener su concentración. Pueden ser útiles para ayudar a los niños a superar un periodo de retraso en el desarrollo hasta que sus capacidades maduren de forma natural. Sólo *permiten* que los niños se concentren y se controlen a sí mismos, pero no los *fuerzan a hacerlo*. Los que tomen dichos medicamentos no deberían considerarlos como una respuesta total ni como un pretexto. El tratamiento médico es en este sentido un soporte y no una cura.

¿Qué es lo que se puede hacer para mejorar la vida de los niños hiperactivos?

Los grupos de autoayuda para padres deberían actuar como un camino importante hacia una comprensión y un conocimiento más profundos del problema. Al menos en Gran Bretaña, es necesario que la hiperactividad sea reconocida por los profesionales, y más ampliamente conocida por el público en general, tarea a la que deberían contribuir las organizaciones de voluntarios. Es igualmente importante que no nos concentremos excesivamente en la hiperactividad, porque entonces se pasarán por alto tensiones psicológicas que requieren atención, simplemente debido a que se ha colocado una etiqueta al niño.

En ocasiones los grupos de voluntarios pueden sentir preocupación por un determinado tratamiento (como una dieta), y esto también se puede enfocar como un papel educativo más amplio. Los maestros deberían otorgar prioridad a evaluar y planificar cuáles son los mejores métodos educativos para un niño hiperactivo en cada etapa de su desarrollo. También es preciso apoyar la investigación. Existe un argumento científico para cada uno de los temas que se han tratado en este libro. Dichos argumentos deben ser resueltos antes de que sea posible coordinar las ayudas.

Este libro presenta un punto de vista personal precisamente debido a que existe mucha gente que está confundida por causa de las controversias. Espero haber destacado suficientemente la necesidad de estar informados si tenemos entre manos la tarea de mejorar la vida de los niños cuyo desarrollo psicológico está eclipsado por la hipercinesis.

Apéndice

Criterios de diagnóstico científico

EL DIAGNÓSTICO CIENTÍFICO del desorden hipercinético requiere un nivel anormal de atención y un exceso de actividad/impulsividad presentes en todas las situaciones y persistentes a pesar del paso del tiempo y que no están causados por otros desórdenes como el autismo u otros trastornos afectivos. Todos los síntomas que describimos a continuación deben estar presentes para hacer un dignóstico de hiperactividad:

1. **Falta de atención:** al menos seis de los siguientes síntomas derivados de la falta de atención han persistido durante, como mínimo, seis meses hasta un punto que no es coherente con el nivel de desarrollo del niño ni se adapta a éste:

    a) A menudo no presta atención a los detalles o comete errores por descuido en la tarea escolar, en el trabajo o en otras actividades.

    b) Reiteradamente no logra mantener la atención en sus tareas ni en sus juegos.

    c) Con frecuencia parece no escuchar lo que se le dice.

    d) Usualmente no sigue las instrucciones y no consigue terminar la tarea escolar, las tareas domésticas o sus obligaciones en el lugar de trabajo (y esto no se debe a una conducta negativista ni a que no haya comprendido las instrucciones).

e) Habitualmente no es capaz de organizar las tareas y las actividades.

f) Con frecuencia evita o aborrece las tareas que requieren un esfuerzo mental sostenido (como los trabajos en la escuela o los deberes en casa).

g) A menudo pierde objetos necesarios para realizar las tareas o actividades (por ejemplo, las tareas escolares, los libros, los lapiceros, las herramientas de trabajo o los juguetes).

h) Comúnmente se distrae con facilidad por estímulos ajenos a su trabajo.

i) Por lo general es olvidadizo en sus actividades cotidianas.

2. **Hiperactividad-impulsividad:** Al menos cuatro de los siguientes síntomas de hiperactividad e impulsividad deben persistir más de seis meses de modo que ya no se adecue al nivel de desarrollo del niño:

a) A menudo agita sus manos y sus pies o se retuerce en su asiento.

b) Abandona su asiento en el aula o en otras situaciones en las que lo esperable es que permanezca sentado.

c) Frecuentemente corretea o se encarama a objetos en situaciones en las que esta actitud resulta inapropiada (en los adolescentes o en los adultos puede limitarse a sentimientos subjetivos de inquietud o desasosiego).

d) Usualmente es indebidamente ruidoso al jugar o no se entretiene de una forma tranquila.

Impulsividad

e) A menudo responde antes de que se termine de formular la pregunta.

f) Con frecuencia no consigue esperar en las colas o esperar el turno en los juegos o en las situaciones de grupo.

3. El comienzo del síndrome no debe ser posterior a los siete años.

4. **Capacidad de penetración:** Los criterios deberían responder a más de una situación, por ejemplo, la combinación de la falta de atención y el exceso de actividad deberían manifestarse tanto en casa como en el colegio, o en el colegio y en otro ambiente donde los niños sean observados, por ejemplo una clínica. *Nota:* es preciso obtener información de más de una fuente para acreditar la evidencia de las situaciones recurrentes: un informe de los padres sobre el comportamiento en clase, por ejemplo, no resultaría suficiente.

5. Las causas perturbadoras clínicamente significativas provocan síntomas, como la angustia al desempeñar funciones sociales educativas o laborables o el deterioro de dichas funciones.

6. No responde a los criterios de un desorden en el desarrollo, ni a trastornos de ansiedad, depresivos o maniacos.

Muchas autoridades en el tema reconocen otros estados que están un poco por debajo del umbral del desorden hipercinético. A los niños que responden de forma diferente a los criterios de diagnóstico pero que no presentan un exceso de actividad/impulsividad que se puedan considerar anormales, se los puede reconocer por la *falta de atención*; y a la inversa, aquellos niños que no revelan perturbaciones notorias de su atención pero responden a otros criterios diagnósticos se los puede individualizar por un *desorden de la actividad*. Del mismo modo, de todos aquellos niños que sólo responden a los criterios diagnósticos en una sola situación (por ejemplo, únicamente en su casa) se puede decir que sufren un *desorden específico del aula o del hogar*. Estas descripciones no se han incluido aún en la clasificación principal debido a que no se ha reunido todavía una suficiente valoración empírica predictiva, y porque muchos niños que presentan desórdenes por debajo del umbral de la hiperactividad muestran otros síndromes (como el desorden de oposición o negativismo) y se los debe clasificar de acuerdo con ellos.

Lecturas sugeridas

EXISTEN VARIOS LIBROS DE TEXTO dirigidos a los profesionales pero que pueden ser de interés para cualquiera que desee profundizar en el tema. Yo mismo he editado uno de ellos:

TAYLOR, E. A. (Ed.): *The Overactive Child. Clinics in Developmental Medicine N.° 97*. Blackwell Scientific Publications, Oxford 1986.

PRIOR, M. & GRIFFIN, M.: *Hyperactivity: Diagnosis and management;* Heinemann Medical Books, Londres 1985.

RUSSELL A. BARKLEY: *Taking Charge of ASHD. The complete, authoritative guide for parents;* The Guilford Press, Nueva York, 1995.

CONNERS, C. K.: *Food Aditives and Hyperactive Children;* Plenum Press, Nueva York, 1980.

SERFONTEIN G.: *The Hidden Handicap;* Simon & Schuster, Australia.

GERALD PATTERSON y M. ELIZABETH GULLION: *Living with Children*. WESLEY C. BECKER: *Parents are Teachers;* ambos publicados por Research Press, Champaign, Illinois.

JO DOUGLAS; *¿Is my Child Hyperactive?,* Penguin Books, 1991.

Sobre el autor

════════

Eric Taylor comenzó a interesarse por la investigación neuropsiquiátrica infantil cuando trabajaba en Harvard a comienzos de los años 70 y ésta sigue siendo su principal actividad clínica y de investigación. Es uno de los más antiguos científicos clínicos de la Unidad de Psiquiatría Infantil MRC, profesor de Neuropsiquiatría del Desarrollo en el Instituto de Psiquiatría, consejero honorario en los Hospitales de Bethlem Royal y Maudsley y en el Hospital King's College, y coeditor del *Periódico de Psicología y Psiquiatría Infantil*. Se interesa especialmente por la hiperactividad infantil, la psicofarmacología, el desarrollo de niños con enfermedades neurológicas y los diferentes cuadros neuropsiquiátricos infantiles.